◎ 修订版 ◎

冯骥才 / 著

俗世奇人

作家出版社

图书在版编目（CIP）数据

俗世奇人 / 冯骥才 著. – 修订版. – 北京：作家出版社，
2008.12 （2024.4重印）

ISBN 978-7-5063-4479-1

Ⅰ.俗… Ⅱ.冯… Ⅲ.短篇小说 – 小说集 – 中国 – 当代
Ⅳ. I247.7

中国版本图书馆CIP数据核字（2008）第172583号

俗世奇人（修订版）

作　　者：冯骥才
责任编辑：钱　英
装帧设计：合和工作室 JOY+BONE
书名、篇目题字：孙伯翔
出版发行：作家出版社有限公司
社　　址：北京农展馆南里10号　　　　邮　　编：100125
电话传真：86-10-65067186（发行中心及邮购部　）
　　　　　86-10-65004079（总编室）
E-mail:zuojia@zuojia.net.cn
http://www.zuojiachubanshe.com
印　　刷：三河市北燕印装有限公司
成品尺寸：152×230
字　　数：65千字
印　　张：9.5
印　　数：5619601 — 5649600
版　　次：2008年12月第1版
印　　次：2024年4月第101次印刷
ISBN 978-7-5063-4479-1
定　　价：18.00元

目　录

序

天津卫本是水陆码头，居民五方杂处，性格迥然相异。然燕赵故地，血气刚烈；水咸土碱，风习强悍。近百余年来，举凡中华大灾大难，无不首当其冲，因生出各种怪异人物，既在显耀上层，更在市井民间。余闻者甚夥，久记于心；尔后虽多用于《神鞭》、《三寸金莲》等书，仍有一些故事人物，闲置一旁，未被采纳。这些奇人妙事，闻若未闻，倘若废置，岂不可惜？近日忽生一念，何不笔录下来，供后世赏玩之中，得知往昔此地之众生相耶？故而随想随记，始作于今；每人一篇，各不相关。冠之总名《俗世奇人》耳。

书中采用的石印画，皆取自清代光绪末年天津出版的《醒华画报》。该画报为单页，折叠式，十日一出，多表现市井琐事与时事新闻，故盛极一时。图画作者们活跃于清末民初。

苏七块

3

苏七块

苏大夫本名苏金散，民国初年在小白楼一带，开所行医，正骨拿环，天津卫挂头牌，连洋人赛马，折胳膊断腿，也来求他。

他人高袍长，手瘦有劲，五十开外，红唇皓齿，眸子赛[1]灯，下巴儿一绺山羊须，浸了油赛的乌黑锃亮。张口说话，声音打胸腔出来，带着丹田气，远近一样响，要是当年入班学戏，保准是金少山的冤家对头。他手下动作更是"干净麻利快"，逢到有人伤筋断骨找他来，他呢？手指一触，隔皮戳肉，里头怎么回事，立

---

1. 赛：天津方言，有"像"或"似"之意。

时心明眼亮。忽然双手赛一对白鸟，上下翻飞，疾如闪电，只听"咔嚓咔嚓"，不等病人觉疼，断骨头就接上了。贴块膏药，上了夹板，病人回去自好。倘若再来，一准是鞠大躬谢大恩送大匾来了。

人有了能耐，脾气准各色。苏大夫有个各色的规矩，凡来瞧病，无论贫富亲疏，必得先拿七块银圆码在台子上，他才肯瞧病，否则决不搭理。这叫嘛规矩？他就这规矩！人家骂他认钱不认人，能耐就值七块，因故得个挨贬的绰号叫作：苏七块。当面称他苏大夫，背后叫他苏七块，谁也不知他的大名苏金散了。

苏大夫好打牌，一日闲着，两位牌友来玩，三缺一，便把街北不远的牙医华大夫请来，凑上一桌。玩得正来神儿，忽然三轮车夫张四闯进来，往门上一靠，右手托着左胳膊肘，脑袋瓜淌汗，脖子周围的小褂湿了一圈，显然摔坏胳膊，疼得够劲。可三轮车夫都是赚一天吃一天，哪拿得出七块银圆？他说先欠着苏大夫，过后准还，说话时还哎哟哎哟叫疼。谁料苏大夫听赛没听，照样摸牌看牌算牌打牌，或喜或忧或惊或装作不惊，脑子全在牌桌上。一位牌友看不过去，使手指指门外，苏大夫眼睛仍不离牌。

"苏七块"这绰号就表现得斩钉截铁了。

牙医华大夫出名的心善,他推说去撒尿,离开牌桌走到后院,钻出后门,绕到前街,远远把靠在门边的张四悄悄招呼过来,打怀里摸出七块银圆给了他。不等张四感激,转身打原道返回,进屋坐回牌桌,若无其事地接着打牌。

过一会儿,张四歪歪扭扭走进屋,把七块银圆"哗"地往台子上一码。这下比按铃还快,苏大夫已然站在张四面前,挽起袖子,把张四的胳膊放在台子上,捏几下骨头,跟手左拉右推,下顶上压,张四抽肩缩颈闭眼龇牙,预备重重挨几下,苏大夫却说:"接上了。"当下便涂上药膏,夹上夹板,还给张四几包活血止疼口服的药面子。张四说他再没钱付药款,苏大夫只说了句:"这药我送了。"便回到牌桌旁。

今儿的牌各有输赢,更是没完没了,直到点灯时分,肚子空得直叫,大家才散。临出门时,苏大夫伸出瘦手,拦住华大夫,留他有事。待那二位牌友走后,他打自己座位前那堆银圆里取出七块,往华大夫手心一放,在华大夫惊愕中说道:

　　"有句话，还得跟您说。您别以为我这人心地不善，只是我立的这规矩不能改！"

　　华大夫把这话带回去，琢磨了三天三夜，到底也没琢磨透苏大夫这话里的深意。但他打心眼儿里钦佩苏大夫这事这理这人。

票太橫

前戌下午
一鐘有四十
三鄉電車行
至本三廠賣票
人名知行因座
客口兩該奇票
且廠將座推差車
下事往同車庄客耳
三勸解故未遭差手
云……困

按言國人稍齣群勢
為里歐伍徊肥此種情形
真令人眼皆欲哭袋如臣
中至車下沒夫人勸鮮夾和
不傷人此今手該馬北為
養達利槽此頻人宜廠馬
戌七

刷子李

刷 子 李

刷子李

码头上的人，全是硬碰硬。手艺人靠的是手，手上就必得有绝活。有绝活的，吃荤，亮堂，站在大街中央；没能耐的，吃素，发蔫，靠边待着。这一套可不是谁家定的，它地地道道是码头上的一种活法。自来唱大戏的，都讲究闯天津码头。天津人迷戏也懂戏，眼刁耳尖，褒贬分明。戏唱得好，下边叫好捧场，像见到皇上，不少名角便打天津唱红唱紫、大红大紫；可要是稀松平常，要哪没哪，戏唱砸了，下边一准起哄喝倒彩，弄不好茶碗扔上去；茶叶末子沾满戏袍和胡须上。天下看戏，哪儿也没天津倒好叫得厉害。您别说不好，这一来也就练出不少能人来。各行各业，全有几个本领齐天的活神仙。刻砖刘、泥人张、风筝魏、机器王、刷子李等等。天津人好把这种人的姓，和他们拿手擅长的行当连在一起称呼。叫长了，名字反没人知道。只有这一个绰号，在码头上响当当和当当响。

刷子李是河北大街一家营造厂的师傅。专干粉刷一行，别的不干。他要是给您刷好一间屋子，屋里任嘛甭放，单坐着，就赛升天一般美。最叫人叫绝的是，他刷浆时必穿一身黑，干完活，身上绝没有一个白点。别不信！他还给自己立下一个规矩，只要身上有白点，白刷不要钱。倘若没这本事，他不早饿成干儿了？

但这是传说。人信也不会全信。行外的没见过的不信，行内的生气愣说不信。

一年的一天，刷子李收个徒弟叫曹小三。当徒弟的开头都是端茶、点烟、跟在屁股后边提东西。曹小三当然早就听说过师傅那手绝活，一直半信半疑，这回非要亲眼瞧瞧。

那天，头一次跟师傅出去干活，到英租界镇南道给李善人新造的洋房刷浆。到了那儿，刷子李跟管事的人一谈，才知道师傅派头十足。照他的规矩一天只刷一间屋子。这洋楼大小九间屋，得刷九天。干活前，他把随身带的一个四四方方的小包袱打开，果然一身黑衣黑裤，一双黑布鞋。穿上这身黑，就赛跟地上一桶白浆较上了劲。

一间屋子，一个屋顶四面墙，先刷屋顶后刷墙。顶子尤其难刷，蘸了稀溜溜粉浆的板刷往上一举，谁能一滴不掉？一掉准掉在身上。可刷子李一举刷子，就赛没有蘸浆。但刷子划过屋顶，立时匀匀实实一道白，白得透亮，白得清爽。有人说这蘸浆的手法有高招，有人说这调浆的配料有秘方。曹小三哪里看得出来？只见师傅的手臂悠然摆来，悠然摆去，好赛伴着鼓点，和着琴音，每一摆刷，那长长的带浆的毛刷便在墙面"啪"地清脆一响，极是好听。啪啪声里，一道道浆，衔接得天衣无缝，刷过去的墙面，真好比平平整整打开一面雪白的屏障。可是曹小三最关心的还是刷子李身上到底有没有白点。

刷子李干活还有个规矩。每刷完一面墙，必得在凳子上坐一大会儿，抽一袋烟，喝一碗茶，再刷下一面墙。此刻，曹小三借着给师傅倒水点烟的机会，拿目光仔细搜索刷子李的全身。每一面墙刷完，他搜索一遍。居然连一个芝麻大小的粉点也没发现。他真觉得这身黑色的衣服有种神圣不可侵犯的威严。

可是，当刷子李刷完最后一面墙，坐下来，曹小三给他点烟时，竟然瞧见刷子李裤子上出现一个白点，黄豆大小。黑中白，比白中黑更扎眼。完了！师傅露馅了，他不是神仙，往日传说中那如山般的形象轰然倒去。但他怕师傅难堪，不敢说，也不敢看，可忍不住还要扫一眼。

这时候，刷子李忽然朝他说话：

"小三，你瞧见我裤子上的白点了吧？你以为师傅的能耐有假，名气有诈，是吧？傻小子，你再细瞧瞧吧——"

说着，刷子李手指捏着裤子轻轻往上一提，那白点即刻没了，再一松手，白点又出现，奇了！他凑上脸用神再瞧，那白点原是一个小洞！刚才抽烟时不小心烧的。里边的白衬裤打小洞透出来，看上去就跟粉浆落上去的白点一模一样！

刷子李看着曹小三发怔发傻的模样，笑道：

"你以为人家的名气全是虚的？那你是在骗自己。好好学本事吧！"

　　曹小三学徒头一天，见到听到学到的，恐怕别人一辈子也未准明白呢！

本期增出曾英一册（醒俗画报第七十五期）

第四期

光绪三十四年四月二十日出版

从售廉

天津鼓楼东

广东会馆发

老媪摔傷

昨午三鐘有一老媼
來坐
洋車行經北馬路大清
銀行
前偶未留神誤被地扑
車撞
翻揸護媼膝膊等處摔
傷甚
重當經該處崗警一併
扭至
四局三區不知若何了
結囝

酒婆

酒婆

酒馆也分三六九等。首善街那家小酒馆得算顶末尾的一等。不插幌子，不挂字号，屋里连座位也没有；柜台上不卖菜，单摆一缸酒。来喝酒的，都是扛活拉车卖苦力的底层人。有的手捏一块酱肠头，有的衣兜里装着一把五香花生，进门要上二三两，倚着墙角窗台独饮。逢到人挤人，便端着酒碗到门外边，靠树一站，把酒一点点倒进嘴里，这才叫过瘾解馋其乐无穷呢！

这酒馆只卖一种酒，使山芋干造的，价钱贱，酒味大。首善街养的猫从来不丢，跑迷了路，也会循着酒味找回来。这酒不讲余味，只讲冲劲，进嘴赛镪水，非得赶紧咽，不然烧烂了舌头嘴巴牙花嗓子眼儿。可一落进肚里，跟手一股劲"腾"地蹿上来，直撞脑袋，晕晕乎乎，劲头很猛。好赛大年夜里放的那种炮仗"炮打灯"，点着一炸，红灯蹿天。这酒就叫作"炮打灯"。好酒应是温厚绵长，绝不上头。但穷汉子们挣一天命，筋酸骨乏，心里憋闷，不就为了花钱不多，马上来劲，晕头涨脑地洒脱洒脱放纵放纵吗？

要说最洒脱，还得数酒婆。天天下晌，这老婆子一准来到小酒馆，衣衫破烂，赛叫花子；头发乱，脸色黯，没人说得清她嘛长相，更没人知道她姓嘛叫嘛，却都知道她是这小酒馆的头号酒鬼，尊称酒婆。她一进门，照例打怀里掏出个四四方方小布包。打开布包，里头是个报纸包，报纸有时新有时旧；打开报纸包，又是个绵纸包，好赛里头包着一个翡翠别针；再打开这绵纸包，原来只是两角钱！她拿钱撂在柜台上，老板照例把多半碗"炮打灯"递过去，她接过酒碗，举手仰脖，碗底一翻，酒便直落肚中，好赛倒进酒桶。待这婆子两脚一出门槛，就赛在画上画天书了。

她一路东倒西歪向北去，走出一百多步远的地界，是个十字路口，车来车往，常常出事。您还甭为这婆子揪心，瞧她烂醉如泥，可每次将到路口，一准是"噔"的一下，醒过来了！竟赛常人一般，不带半点醉意，好端端地穿街而过。她天天这样，从无闪失。首善街上人家，最爱瞧酒婆这醉醺醺的几步扭——上摆下摇，左歪右斜，悠悠旋转乐陶陶，看似风摆荷叶一般；逢到雨天，雨点淋身，便赛一张慢慢旋动的大伞了……但是，为嘛酒婆一到路口就醉意全消呢？是因为"炮打灯"就这么一点劲头儿，还是酒婆有超人的能耐说醉就醉说醒就醒？

酒的诀窍，还是在酒缸里。老板人奸，往酒里掺水。酒鬼们对眼睛里的世界一片模糊，对肚子里的酒却一清二楚，但谁也不肯把这层纸捅破，喝美了也就算了。老板缺德，必得报应，人近六十，没儿没女，八成要绝后。可一日，老板娘爱酸爱辣，居然有喜了！老板给佛爷叩头时，动了良心，发誓今后老实做人，诚实卖酒，再不往酒里掺水掺假了。

就是这日，酒婆来到这家小酒馆，进门照例还是掏出包儿来，层层打开，花钱买酒，举手仰脖，把改假为真的"炮打灯"倒进肚里……真货就有真货色。这次酒婆还没出屋，人就转悠起来了。而且今儿她一路上摇晃得分外好看，上身左摇，下身右摇，愈转愈疾，初时赛风中的大鹏鸟，后来竟赛一个黑黑的大漩涡！首善街的人看得惊奇，也看得纳闷，不等多想，酒婆已到路口，竟然没有酒醒，破天荒头一遭转悠到大马路上，下边的惨事就甭提了……

自此，酒婆在这条街上绝了迹。小酒馆里的人们却不时念叨起她来。说她才算真正够格的酒鬼。她喝酒不就菜，向例一饮而尽，不贪解馋，只求酒劲。在酒馆既不多事，也无闲话，交钱喝酒，喝完就走，从来没赊过账。真正的酒鬼，都是自得其乐，不搅和别人。

老板听着，忽然想到，酒婆出事那日，不正是自己不往酒里掺假的那天吗？原来祸根竟在自己身上！他便别扭开了，心想这人间的道理真是说不清道不明了。到底骗人不对，还是诚实不对？不然为嘛几十年拿假酒骗人，却相安无事，都喝得挺美，可一旦认真起来反倒毁了？

醒世画报

第二十八期
（醒俗画报）
（第九十九期）

光绪三十四年八月二十日出版　总发行所　天津鼓楼东大街

骑着人家的马。

架着人家的鹰。

落得快活一天是

一天呢。

死 鸟

死

鸟

死鸟

天津卫的人好戏谑，故而人多有外号。有人的外号当面叫，有人的外号只能背后说，这要看外号是怎么来的。凡有外号，必有一个好笑的故事；但故事和故事不同，有的故事可以随便当笑话说，有的故事人却不能乱讲；比方贺道台这个各色的雅号——死鸟。

贺道台相貌普通，赛个猪崽。但真人不露相，能耐暗中藏。他的能耐有两样，一是伺候头儿，一是伺候鸟。

伺候上司的事是挺特别的一功。整天跟在上司的屁股后边，跟慢跟紧全都不成。跟得太慢，遇事上不去，叫上司着急；跟得太紧，弄不好一脚踩在上司的后脚跟上，反而惹恼了上司。而且光是赛条小狗那样跟在后边也不成，还得善于察言观色，摸透上司脾气，知道嘛时候该说嘛，嘛时候不该说嘛；挨训时俯首贴耳，挨骂时点头称是。上司骂人，不准是你的不是，有时不过是上司发发威和舒舒气罢了。你要是耐不住性子，皱眉撇嘴，露出烦恼，那就叫上司记住了。从此，官儿不是愈做愈大，而是愈做愈小——就这种不是人干的事，贺道台却得心应手，做得从容自然。人说，贺道台这些能耐都出自他的天性。说他天生是上司的撒气篓子，一条顺毛驴，三脚踹不出个屁来，对么？

说完他伺候头儿，再说他伺候鸟儿。

伺候鸟的事也是另外一功。别以为把鸟关在笼子里，放点米，给点虫，再加点水，就能又蹦又跳。一种鸟有一种鸟的习惯，差一点就闭眼戗毛，耷拉翅膀；一只鸟有一只鸟的性子，不依着它就不唱不叫，动也不动，活的赛死的差不多。人说贺道台上辈子准是鸟儿。他对鸟儿们的事全懂，无论嘛鸟，经他那双小胖手一摆弄，毛儿鲜亮，活蹦乱跳，嗓子个个赛得过在天福茶园里那个唱落子的一毛旦。

过年立夏转天，在常关做事的一位林先生，打江苏常州老家歇假回来，带给他一只八哥。这八哥个大肚圆，腿粗爪硬，通身乌黑，嘴儿金黄；叫起来，站在大街上也听得清清楚楚。贺道台心里欢喜说："公鸡的嗓门也没它大。"

林先生笑道："就是学人说话还差点。它总不好好学。怎么教也不会，可有时不留神的话，却给它学去了。不过，到您手里一调教，保准有出息。"

贺道台也笑了，说道："过三个月，我叫它能说快板书。"

然而，这八哥好比烈马，一时极难驯服。贺道台用尽法子，它也学不会。贺道台骂它一句："笨鸟。"第二天它却叫了一天"笨鸟"。叫它停嘴，它偏不停。前院后院都听得清清楚楚，午觉也没法儿睡。贺道台用罩子把笼子严严实实罩了多半天，它才不叫。到了傍晚，太太怕把它闷死，叫丫鬟把罩子摘去，它一露面，竟对太太说："太太起痱子了吧？"把太太吓了一跳。再一想，这不是前几天老爷对她说的话吗，不留神竟给它学去了。逗得太太咯咯笑了半天。待贺道台回来，她对老爷说了。没等她去叫八哥再说一遍，八哥自己又说："太太起痱子了吧？"

贺道台给逗得咧嘴直笑，还说："这东西，连声音也学我。"

太太说："没想到这坏东西竟这么聪明。"

自此，贺道台分外仔细照料它。日子一长，它倒是学会了几句什么"给大人请安""请您坐上座""您走好了"之类的话，只是不好好说。可是，它抽冷子蹦出几句老爷太太平时说的"起痱子"那类的话，反倒把客人逗得大笑，直笑得前仰后合。

知府大人说："贺大人，从它身上就知道您有多聪明了。"

贺道台得意这鸟，更得意自己。这话就暂且按下不提。

九月初九那天，东城外的玉皇阁"攒九"，津门百姓照例都去登阁，俗称九九登高。此时，天高气爽，登高一望，心头舒畅，块垒皆无。这天直隶总督裕禄也来到了玉皇阁，兴致非常好，顺着那又窄又陡的楼梯，一口气直爬到顶上的清虚阁。随同来的文武官员全都跑前跑后，哄他高兴。贺道台自然也在其中。他指着三岔河口上的往来帆影，说些提兴致的话，直叫裕禄大人心头赛开了花。从阁上下来，贺道台便说，自己的家就在不远，希望大人赏脸，到他家去坐坐。裕大人平日决不肯屈尊到属下家中做客。但今日兴致高，竟答应了。贺道台的轿子便在前面开道，其余官员跟随左右，骑龙驾虎一般去了。

贺道台的八哥笼子就挂在客厅窗前，裕大人一进门，它就叫："给大人请安。"声音嘹亮，一直送进裕禄的耳朵里。

裕大人愈发兴高采烈，说道："这东西竟然比人还灵。"

贺道台应声便说："还不是因为大人来了。平时怎么叫它说，它也不肯说。"

待端茶上来，八哥忽又叫道："这茶是明前茶。"

裕大人一怔，扭头对那笼子里的八哥说："这是你的错了。现在什么时候了，哪还有明前茶？"

上司打趣，下司拾笑。笑声灌满客厅。并一齐讪笑八哥是个傻瓜。

贺道台说："大人真是一句切中了要害。其实这话并不是我教的，这东西总是时不时蹦出来一句，不知哪来的话。"

知府笑道："还不是平日里说者无意，听者有心。想必贺大人总喝好茶，它把茶名全记住了！"

裕禄笑道说："有什么好茶，也请裕禄我尝尝。"

大家又笑起来。但八哥听到了"裕禄"两字，忽然翅膀一抖，跟着全身黑毛全爹起来，好赛发怒，声音又高又亮地叫道："裕禄那王八蛋！"

满厅的人全怔住。其实这一句众人全听到了，就在惊呆的一刻，这八哥又说一遍："裕禄那王八蛋！"说得又清楚又干脆。裕禄忽地手一甩，把桌上的茶碗全抽在地上，怒喝一声："太放肆了！"

贺道台慌忙趴在地上，声音抖得快听不见："这不是我教给它的——"话到这里，不觉卡住了。他想到，八哥的这句话，正是他每每在裕禄那里受了窝囊气后回来说的。怎么偏偏给它记住了？这不是要他的命吗？他浑身全是凉气。

等他明白过来，裕禄和众官员已经离去。只他一个人还趴在客厅地上。他突然跳起来，朝那八哥冲去，一边吼着："你毁了我！我撕了你，你这死鸟！"

他两手抓着笼子一扯，用力太大，笼子扯散，鸟飞出来，一把没有抓住。这八哥穿窗飞出，落在树上。居然把贺道台刚刚说的这话学会了，朝他叫道："死鸟！"

贺道台叫仆人们用杆子打，用砖头砍，爬上树抓。八哥在树顶上来回蹦了一会儿，还不住地叫："死鸟！死鸟！死鸟！"最后才展翅飞去，很快就无影无踪了。

自此，贺道台就得了"死鸟"的外号。而且人们传这外号的时候，还总附带着这个故事。

君子可欺

野蛮角力

本埠南市以西昨有多数
人圍繞而觀近視之見四人
手執数十斤之石鎖遂相拋
接以角其力且有拋
至一二丈高者以故
接之者恒不免隆起于
地設一失手不特害觀人頾
剪印在場人飛恐有傷性命
望該管局匠弋為禁止以防危险
揆本地向有抛擲沙袋之戲惹惟
高柔翔不至十分危险令以石鎖
代之野蛮殊矣寄語該場人如欲
尚武其擇一求明之事練習之可也

恭甫

张大力

张大力

张大力

张大力，原名叫张金璧，津门一员赳赳武夫，身强力蛮，力大没边，故称大力。津门的老少爷们喜欢他，佩服他，夸他。但天津人有自己夸人的方法。张大力就有这么一件事，当时无人不晓，现在没人知道，因此写在下边——

侯家后一家卖石材的店铺，叫聚合成。大门口放一把死沉死沉的青石大锁，锁把也是石头的。锁上刻着一行字：

凡举起此锁者赏银百两

聚合成设这石锁，无非为了证明它的石料都是坚实耐用的好料。

可是，打石锁撂在这儿，没人举起过，甚至没人能叫它稍稍动一动，您说它有多重？好赛它跟地壳连着，除非把地面也举到头上去！

一天，张大力来到侯家后，看见这把锁，也看见上边的字，便俯下身子，使手问一问，轻轻一撼，竟然摇动起来，而且赛摇一个竹篮子，这就招了许多人围上来看。只见他手握锁把，腰一挺劲，大石锁被他轻易地举到空中。胳膊笔直不弯，脸上笑容满面，好赛举着一大把花儿！

众人叫好呼好喊好，张大力举着石锁，也不撂下来，直等着聚合成的伙计老板全出来，看清楚了，才将石锁放回原地。老板上来笑嘻嘻说：

"原来张老师来了，快请到里头坐坐，喝杯茶！"

张大力听了，正色说："老板，您别跟我弄这套！您的石锁上写着嘛，谁举起它，赏银百两，您就快把钱拿来，我还忙着哪！"

谁料聚合成的老板并不理会张大力的话。待张大力说完，他不紧不慢地说道："张老师，您只瞧见石锁上边的字了，可石锁底下还有一行字，您瞧见了吗？"

张大力怔了。刚才只顾高兴，根本没瞧见锁下边还有字。不单他没瞧见，旁人也都没瞧见。张大力脑筋一转，心想别是老板唬他，不想给钱，以为他使过一次劲，二次再举不起来了，于是上去一把又将石锁高高举到头顶上，可抬眼一看，石锁下边还真有一行字，竟然写着：

唯张大力举起来不算

把这石锁上边和下边的字连起来，就是：

凡举起此锁者赏银百两，唯张大力举起来不算！

众人见了，都笑起来。原来人家早知道唯有他能举起这家伙。而这行字也是人家佩服自己，夸赞自己——张大力当然明白。

他扔了石锁，哈哈大笑，扬长而去。

諷

畫

先緒三十四年八月五日出版

總發行所　天津鼓樓東大街

自得辦來稿

醒俗

第二十五期

〔醒俗畫報甲九十六朗〕

烟界良医

冯五爷

冯五爷

冯五爷

冯五爷是浙江宁波人。冯家出两种人，一经商，一念书。冯家人聪明，脑袋瓜赛粤人翁伍章雕刻的象牙球，一层套一层，每层一花样。所以冯家人经商的成巨富，念书的当文豪做大官。冯五爷这一辈五男二女，他排行末尾，几位兄长远在上海天津开厂经商，早早地成家立业，站住脚跟。唯独冯五爷在家啃书本。他人长得赛条江鲫，骨细如鱼刺，肉嫩如鱼肚，不是赚钱发财的长相，倒是舞文弄墨的材料。凡他念过的书，你读上句，他背下句，这能耐据说只有宋朝的王安石才有。至于他出口成章，落笔生花，无人不服。都说这一辈冯家的出息都在这五爷身上了。

冯五爷二十五，父母入土，他卖房卖地，携家带口来到天津卫，为的是投兄靠友，谋一条通天路。

他心气高，可天津卫是商埠，毛笔是用来记账的，没人看书，自然也没人瞧得起念书的。比方说，地上有黄金也有书本，您拣哪样？别人发财，冯五爷眼热，脑筋一歪，决意下海做买卖。但此道他一窍不通，干哪行呢？

中国人想赚钱，第一个念头便是开饭馆。民以食为天，民为食花钱；一天三顿饭，不吃腿就软，钱都给了饭馆老板。天津的钱又都在商人手里，商界的往来大半在饭桌上。再说，天津产盐，吃菜口重，宁波菜咸，正合口味。于是冯五爷拿定主意，开个宁波风味的馆子，便在马家口的闹市里，选址盖房，取名"状元楼"。择个吉日，升匾挂彩，燃鞭放炮，饭馆开张了。冯五爷身穿藏蓝暗花大褂，胸前晃着一条纯金表链，中印分头，满头抹油，地道的老板打扮，站在大厅迎宾迎客，应付八方。念书的人，讲究礼节，谈吐又好，很得人缘。再说，状元楼是天津卫独一家宁波馆，海鱼河虾都是天津人解馋的食品，在宁波厨子手里一做，比活鱼活虾还鲜。故此开张以来，天天坐满堂，晚上一顿还得"翻台"，上两拨客人。眼瞅着金河银河，往钱匣子里流，冯五爷心花怒放。可日子一长，赚钱并不多。冯五爷纳闷，天天一把把银钱，赛一群群鸟飞进来，都落到哪儿去了？往后再一瞧账，哟，反倒出了赤字！

一日，一个打宁波来帮工的小伙计，抖着胆子告诉他，厨房里的鸡鸭鱼肉，进到客人嘴里的有限，大多给厨子伙计们截墙扔出去了，外边有人接应。状元楼有多少钱经得住天天往外扔？

冯五爷盛怒之后，心想自己嘛脑袋，《二十四史》背得滚瓜烂熟，能拿这帮端盘子炒菜的没辙？这就开刀了。除去那个打宁波老家带来的胖厨子没动，其余伙计全轰走，斩草除根换一拨人，还有后院墙头安装电网，以为从此相安无事，可账上仍是赤字，怎么回事？

又一日，住在状元楼邻近一位婆子，咬耳朵对他说，每天后晌，垃圾车一到，一摇铃铛，打状元楼里抬出的七八个土箱子，只有上边薄薄一层是垃圾，下边全是铁皮罐头、整袋咸鱼、好酒好烟。原来内外勾结，用这法儿把东西弄走。这不等于拿土箱子每天往外抬钱吗？冯五爷赶在一个后晌倒垃圾的时候，上前一查，果然如此。大怒之下，再换一拨人。人是换了，但账本上的赤字还是没有换掉。

冯五爷不信自己无能。天天到馆子瞪大眼珠，内内外外巡视一番，却看不出半点毛病。文人靠想象过日子，真落到生活的万花筒里，便是"自作聪明真傻瓜"。状元楼就赛破皮球，撒气漏风，眼瞅着败落下来。买卖赛人，靠一股气儿活着，气泄了，谁也没辙。愈少客人，客人愈少；油水没油，伙计散伙。饭厅有时只开半边灯了。

冯五爷心里只剩下一点不服。

再一日，身边使唤的小童对他说，外头风传，状元楼里最大的偷儿不是别人，就是那个打老家带来的胖厨子。据说他偷瘾极大，无日不偷，无时不偷，无物不偷，每晚回家必偷一样东西走，而且偷术极高，绝对查看不出。冯五爷不肯相信，这胖厨子当年给自己父亲做饭，胖厨子的父亲给自己爷爷做饭，他家的根早扎在冯家了。倘若他是贼，谁还会不是贼？

但是，冯五爷究竟干了两年的买卖，看到的假笑比真笑多，听到的假话比真话多，心里也多了一个心眼儿了。

当日晚上，状元楼该关灯闭门时候，冯五爷带着小童到饭馆前厅，搬一把藤椅，撂在通风处，仰面一躺，说是歇凉，实是捉贼。

等了不久，胖厨子封上炉火，打后头厨房出来，正要回家。他光着脑袋一身肉，下边只穿一条大白裤衩，趿拉一双破布鞋，肩上搭一条汗巾，手提一盏纸灯笼。他瞅见老板，并不急着脱身离去，而是站着说话。那模样赛是说：您就放开眼瞧吧！

冯五爷嘴里搭讪，一双文人的锐目利眼却上上下下打量他，心中一边揣度——这光头光身，往哪儿藏掖？破鞋里也塞不了一盒烟啊！灯笼通明雪亮，里头放点嘛也全能照出来。裤衩虽大，但给大厅里来回来去的风一吹，大腿屁股的轮廓都看得清清楚楚，还能有嘛？是不是搭在肩上那条擦汗的手巾里裹着点什么？心刚生疑，不等他说，胖厨子已把汗巾从肩上拿下，甩手扔给小童，说道："外边都凉了，我带这条大毛巾做什么，烦你给搭在后院的晾衣绳上吧！"说完辞过冯五爷，手提灯笼，大摇大摆走了。

冯五爷叫小童打开毛巾，里头嘛也没有，差点冤枉好人。

可是转天，这小童打听到，胖厨子昨晚使的花活，在那灯笼上。原来插洋蜡的灯座不是木头的，而是拿一块冻肉旋的，这块肉足有二斤沉！可人家居然就在冯五爷眼皮子底下，使灯照着，大模大样提走了，真叫绝了！

冯五爷听罢，三天没说话，第四天就把状元楼关了。有人劝他重返文苑，接着念书，他摇头叹息。念书得信书。他连念书的人能耐还是不念书的人能耐都弄不清，哪还会有念书的心思？

保案來告岳廟風鎮胡同姓
女寶玉者系某粉一班
取名慧芝粉上月二十七日
開鑼特有某鎮
載事官張某坐前畢瓶
綠獅文娥姚葉
因應酬未週將該妓尋
座棒毀火見目景
某在該班權間換場不
斜與宏屯醉因
巴蘭相殿將桌面瓷鑫
行推翻由不知如
何了結當晚有某堂學生
釋莫亦在該班
與妓名倩雲者殿打響
萬正云吾係某
堂肆慧生偷散隔犯戚必
封網元內其攝
非常該班甫經劫立如此多
票可謂太不
幸之甚矣.

（天）

蓝眼

蓝眼

　　古玩行中有对天敌，就是造假画的和看假画的。造假画的，费尽心机，用尽绝招，为的是骗过看假画的那双又尖又刁的眼；看假画的，却凭这双眼识破天机，看破诡计，捏着这造假的家伙没藏好的尾巴尖儿，打一堆画里把它抻出来，晾在光天化日底下。

　　这看假画的名叫蓝眼。在锅店街裕成公古玩铺做事，专看画。蓝眼不姓蓝，他姓江，原名在棠，蓝眼是他的外号。天津人好起外号，一为好叫，二为好记。这蓝眼来源于他的近视镜，镜片厚得赛瓶底，颜色发蓝，看上去真赛一双蓝眼。

而这蓝眼的关键还是在他的眼上。据说他关灯看画，也能看出真假；话虽有点玄，能耐不掺假。他这蓝眼看画时还真的大有神道——看假画，双眼无神；看真画，一道蓝光。

这天，有个念书打扮的人来到铺子里，手拿一轴画。外边的题签上写着"大涤子湖天春色图"。蓝眼看似没看，他知道这题签上无论写嘛，全不算数，真假还得看画。他刷地一拉，疾如闪电，露出半尺画心。这便是蓝眼出名的"半尺活"，他看画无论大小，只看半尺。是真是假，全拿这半尺画说话，绝不多看一寸一分。蓝眼面对半尺画，眼镜片刷地闪过一道蓝光，他抬起头问来者：

"你打算卖多少钱？"

来者没急着要价，而是说：

"听说西头的黄三爷也临摹过这幅画。"

黄三爷是津门造假画的第一高手。古玩铺里的人全怕他。没想到蓝眼听赛没听，又说一遍：

"我眼里从来没有什么黄三爷。你说你这画打算卖多少钱吧？"

"两条。"来者说。这两条是二十两黄金。

要价不低，也不算太高，两边稍稍地你抬我压，十八两便成交了。

打这天起，津门的古玩铺都说锅店街的裕成公买到一轴大涤子石涛的山水，水墨浅绛，苍润至极，上边还有大段题跋，尤其难得。有人说这件东西是打北京某某王府流落出来的。来卖画的人不大在行，蓝眼却抓个正着。花钱不少，东西更好。这么精的大涤子，十年内天津的古玩行就没现过。那时没有报纸，嘴巴就是媒体，愈说愈神，愈传愈广。接二连三总有人来看画，裕成公都快成了绸缎庄了。

世上的事，说足了这头，便开始说那头。大约事过三个月，开始有人说裕成公那幅大涤子靠不住。初看挺唬人，可看上几遍就稀汤寡水，没了精神。真假画的分别是，真画经得住看，假画受不住瞧。这话传开之后，就有新闻冒出来——有人说这画是西头黄三爷一手造的赝品！这话不是等于拿盆脏水往人家蓝眼的袍子上泼吗？

蓝眼有根，理也不理。愈是不理，传得愈玄。后来就说得有鼻子有眼儿了。说是有人在针市街一个人家里，看到了这轴画的真品。于是，又是接二连三，不间断有人去裕成公古玩铺看画，但这回是想瞧瞧黄三爷用嘛能耐把蓝眼的眼蒙住的。向来看能人栽跟斗都最来神儿！

裕成公的老板佟五爷心里有点发毛，便对蓝眼说："我信您的眼力，可我架不住外头的闲话，扰得咱铺子整天乱哄哄的。咱是不是找个人打听打听那画在哪儿。要真有张一模一样的画，就想法把它亮出来，分清楚真假，更显得咱高。"

蓝眼听出来老板没底，可是流言闲语谁也没辙，除非就照老板的话办，真假一齐亮出来。人家在暗处闹，自己在明处赢。

佟老板找来尤小五。尤小五是天津卫的一只地老鼠，到处乱钻，嘛事都能叫他拿耳朵摸到。他们派尤小五去打听，转天有了消息。原来还真的另有一幅大涤子，也叫《湖天春色图》，而且真的就在针市街一个姓崔的人家！佟老板和蓝眼都不知道这崔家是谁。佟老板便叫尤小五引着蓝眼去看。蓝眼不能不去，待到了那家一看，眼镜片刷刷闪过两道蓝光，傻了！

真画原来是这幅。铺子里那幅是假造的！这两幅画的大小、成色、画面，全都一样，连图章也是仿刻的。可就是神气不同——瞧，这幅真的是嘛神气！

他当初怎么打的眼，已经全然不知。此时面对这画，真恨不得钻进地里去。他二十年没错看过一幅。他蓝眼简直成了古玩行里的神。他说真必真，说假准假，没人不信。可这回一走眼，传了出去，那可毁了。看真假画这行，看对一辈子全是应该的，看错一幅就一跟斗栽到底。

他没出声。回到店铺跟老板讲了实话。裕成公和蓝眼是连在一块的，要栽全栽。佟老板想了一夜。有了主意，决定把崔家那轴大涤子买过来，花大价钱也在所不惜。两幅画都攥在手里，哪真哪假就全由自己说了。但办这事他们决不能露面，便另外花钱请个人，假装买主，跟随尤小五到崔家去买那轴画。谁料人家姓崔的开口就是天价。不然就自己留着不卖了。买东西就怕一边非买，一边非不卖。可是去装买主这人心里有底，因为来时佟老板对他有话："就是砸了我铺子，你也得把画给我买来。"这便一再让步，最后竟花了七条金子才买到手，反比先前买的那轴多花了三倍的钱还多。

待把这轴画拿到裕成公，佟老板舒口大气，虽然心疼钱，却保住了裕成公的牌子。他叫伙计们把两轴画并排挂在墙上，彻底看个心明眼亮。等画挂好，蓝眼上前一瞧，眼镜片刷刷刷闪过三道光。人竟赛根棍子立在那里。天下的怪事就在眼前——原来还是先前那幅是真的，刚买回来的这幅反倒是假的！

真假不放在一起比一比，根本分不出真假——这才是人家造假画的本事，也是最高超的本事！

可是蓝眼长的一双是嘛眼？肚脐眼？

蓝眼差点一口气闭过去。转过三天，他把前前后后的事情捋了一遍，这才明白，原来这一切都是黄三爷在暗处做的圈套。一步步叫你钻进来。人家真画卖得不吃亏，假画卖得比天高。他忽然想起，最早来卖画的那个书生打扮的人，不是对他说过"黄三爷也临摹过这幅画"吗？人家有话在先，早就说明白这幅画有真有假，再看打了眼怨谁？看来，这位黄三爷不单是冲着钱来的，干脆就是冲着自己来的。人家叫你手里攒着真画，再去买他造的假画。多绝！等到他明白了这一层，才算明白到家，认栽到底！打这儿起，蓝眼卷起被袄卷儿离开了裕成公。自此不单天津古玩行没他这号，天津地面也瞧不见他的影子。有人说他得一场大病，从此躺下，再没起来。栽得真是太惨了！

　　再想想看，他还有更惨的——他败给人家黄三爷，却只见到黄三爷的手笔，人家的面也没叫他见过呢！

　　所幸的是，他最后总算想到黄三爷的这一手。死得明明白白。

水缸虛設

馬路一帶按段設立
水缸大書特書
若干字意必以為
防火燈而設
意甚美法甚
良也乃昨
徑行西馬路
一帶見缸內
涓滴毫無袛
成虛設意以此
為陳列品則殊不
美觀以此為防火具
則一無足恃告朔之
羊去之抑又何
傷當湖外史曰
今日新政之
虛設豈獨一
水缸為然哉
不必少見
多怪

輕狂惹禍

欲進勿為各臣添此煩惱此、
輩宜早為
聊掌嘴間已吃虧特甚奉勸若
乃便宜未找成、
按人之所以輕狂者為找便宜此
束其妻勿与异性接談云、
明將趙寧責四十連諭甲嗣後管
臣呈控經區長張君訊」
見而勸阻倘不知改日昨某甲在
意調笑經本區副官馮居、
趙某年少輕狂時與該少婦任
其妻照料生意薪佑
如意庵前某甲、開雜貨鋪常令

好嘴杨巴

好嘴楊巴

好嘴杨巴

津门胜地，能人如林，此间出了两位卖茶汤的高手，把这种稀松平常的街头小吃，干得远近闻名。这二位，一位胖黑敦厚，名叫杨七；一位细白精朗，人称杨八。杨七杨八，好赛哥俩，其实却无亲无故，不过他俩的爹都姓杨罢了。杨八本名杨巴，由于"巴"与"八"音同，杨巴的年岁长相又比杨七小，人们便错把他当成杨七的兄弟。不过要说他俩的配合，好比左右手，又非亲兄弟可比。杨七手艺高，只管闷头制作；杨巴口才好，专管外场照应，虽然里里外外只这两人，既是老板又是伙计，闹得却比大买卖还红火。

杨七的手艺好，关键靠

两手绝活。

一般茶汤是把秫米面沏好后，捏一撮芝麻撒在浮头，这样做香味只在表面，愈喝愈没味儿。杨七自有高招，他先盛半碗秫米面，便撒上一次芝麻，再盛半碗秫米面，沏好后又撒一次芝麻。这样一直喝到见了碗底都有香味。

他另一手绝活是，芝麻不用整粒的，而是先使铁锅炒过，再拿擀面杖压碎。压碎了，里面的香味才能出来。芝麻必得炒得焦黄不煳，不黄不香，太煳便苦；压碎的芝麻粒还得粗细正好，太粗费嚼，太细也就没嚼头了。这手活儿别人明知道也学不来。手艺人的能耐全在手上，此中道理跟写字画画差不多。

可是，手艺再高，东西再好，拿到生意场上必得靠人吹。三分活，七分说，死人说活了，破货变好货，买卖人的功夫大半在嘴上。到了需要逢场作戏、八面玲珑、看风使舵、左右逢源的时候，就更指着杨巴那张好嘴了。

那次，李鸿章来天津，地方的府县道台费尽心思，究竟拿嘛样的吃喝才能把中堂大人哄得高兴？京城豪门，山珍海味不新鲜，新鲜的反倒是地方风味小吃，可天津卫的小吃太粗太土：熬小鱼刺多，容易卡嗓子；炸麻花梆硬，弄不好硌牙。琢磨三天，难下决断，幸亏知府大人原是地面上走街串巷的人物，嘛都吃过，便举荐出"杨家茶汤"；茶汤黏软香甜，好吃无险，众官员一齐称好，这便是杨巴发迹的缘由了。

这日下晌，李中堂听过本地小曲莲花落子，饶有兴味，满心欢喜，撒泡热尿，身爽腹空，要吃点心。知府大人忙叫"杨七杨八"献上茶汤。今儿，两人自打到这世上来，头次里外全新，青裤青褂，白巾白袜，一双手拿碱面洗得赛脱层皮那样干净。他俩双双将茶汤捧到李中堂面前的桌上，然后一并退后五步，垂手而立，说是听候吩咐，实是请好请赏。

李中堂正要尝尝这津门名品，手指尖将碰碗边，目光一落碗中，眉头忽地一皱，面上顿起阴云，猛然甩手，"啪"地将一碗茶汤打落在地，碎瓷乱飞，茶汤泼了一地，还冒着热气儿。在场众官员吓蒙了，杨七和杨巴慌忙跪下，谁也不知中堂大人为嘛犯怒。

当官的一个比一个糊涂，这就透出杨巴的明白。他眨眨眼，立时猜到中堂大人以前没喝过茶汤，不知道撒在浮头的碎芝麻是嘛东西，一准当成不小心掉上去的脏土，要不哪会有这大的火气？可这样，难题就来了——

倘若说这是芝麻，不是脏东西，不等于骂中堂大人孤陋寡闻，没有见识吗？倘若不加解释，不又等于承认给中堂大人吃脏东西？说不说，都是要挨一顿臭揍，然后砸饭碗子。而眼下顶要紧的，是不能叫李中堂开口说那是脏东西。大人说话，不能改口。必须赶紧想辙，抢在前头说。

杨巴的脑筋飞快地一转两转三转，主意来了！只见他脑袋撞地，"咚咚咚"叩得山响，一边叫道："中堂大人息怒！小人不知道中堂大人不爱吃压碎的芝麻粒，惹恼了大人。大人不计小人过，饶了小人这次，今后一定痛改前非！"说完又是一阵响头。

李中堂这才明白，刚才茶汤上那些黄渣子不是脏东西，是碎芝麻。明白过后便想，天津卫九河下梢，人性练达，生意场上，心灵嘴巧。这卖茶汤的小子更是机敏过人，居然一眼看出自己错把芝麻当作脏土，而三两句话，既叫自己明白，又给自己面子。这聪明在眼前的府县道台中间是绝没有的，于是对杨巴心生喜欢，便说：

"不知道当无罪！虽然我不喜欢吃碎芝麻（他也顺坡下了），但你的茶汤名满津门，也该嘉奖！来人呀，赏银一百两！"

　　这一来，叫在场所有人摸不着头脑。茶汤不爱吃，反倒奖巨银，为嘛？傻啦？杨巴趴在地上，一个劲儿地叩头谢恩，心里头却一清二楚全明白。

　　自此，杨巴在天津城威名大震。那"杨家茶汤"也被人们改称"杨巴茶汤"了。杨七反倒渐渐埋没，无人知晓。杨巴对此毫不内疚，因为自己成名靠的是自己一张好嘴，李中堂并没有喝茶汤呀！

为国捐躯

管带宿娼

苏省常备陆军二标一营管带傅应珙因酗酒宿娼不职且平
日在妓馆花天酒地任意挥霍经长官屡缮辩未□观察详请
撤惠
撤惠另易管带以肃军政云
按□为管带而沉湎於烟花其军令可想见矣详请撤参
固是正办

潮曰前有某公乘坐馬車
前有頂馬一人頭戴
頂翎馳走如飛行至金鋼
橋被阻攔警往見即
向前阻止責以
國服大喪尔尔尚衣頂煌、
大失禮即是誠何
心乎免官達太甚立命將
緯翎摘下始放之去

按燕樂歌舞
等事富
國有大喪即各
國租界奇
暫為禁止況
吾國臣民尖今
文衣頂煌三
尤像迫不及換出
于無心耳
惟心不可無宜
多派偵探、
向各處尋覓之、

蔡二少爷

蔡二少爷

蔡二少爷

蔡家二少爷的能耐特别——卖家产。

蔡家的家产有多大？多厚？没人能说清。反正人家是天津出名的富豪，折腾盐发的家，有钱做官，几代人还全好古玩。庚子事变时，老爷子和太太逃难死在外边。大少爷一直在上海做生意，有家有业。家里的东西就全落在二少爷身上。二少爷没能耐，就卖着吃。打小白脸吃到满脸胡碴，居然还没有"坐吃山空"。人说，蔡家的家产够吃三辈子。

敬古斋的黄老板每听这话，心里暗笑。他多少年专卖蔡家的东西。名人家的东西较比一般人的东西好卖。

而黄老板凭他的眼力，看得出二少爷上边几代人都是地道的玩主。不单没假，而且一码是硬邦邦的好东西，到手就能出手。蔡家卖的东西一多半经他的手，所以他知道蔡家的水有多深。十五年前打蔡家出来的东西是珠宝玉器，字画珍玩；十年前成了瓷缸石佛，硬木家具；五年前全是一包一包的旧衣服了。东西虽然不错，却渐渐显出河干见底的样子。这黄老板对蔡二少爷的态度也就一点点地变化。十五年前，他买二少爷的东西，全都是亲自去蔡家府上；十年前，二少爷有东西卖，派人叫他，他一忙就把事扔在脖子后边；五年前，已经变成二少爷胳肢窝里夹着一包旧衣服，自个儿跑到敬古斋来。

这时候，黄老板耷拉着眼皮说："二少爷，麻烦您把包儿打开吧！"连伙计们也不上来帮把手。黄老板拿个尺子，把包里的衣服一件件挑出来，往旁边一甩，同时嘴里叫个价钱，好赛估衣街上卖布头的。最后结账时，全是伙计的事，黄老板人到后边喝茶抽烟去了。黄老板自以为摸透了蔡家的命脉。可近两年这脉象有点古怪了。

蔡家二少爷忽然不卖旧衣，反过来又隔三岔五派人叫他到蔡家去。海阔天空地先胡扯半天，扭身从后边柜里取出一件东西给他看，件件都是十分成色的古玩精品。不是康熙五彩的大碟子，就是一把沈石田细笔的扇子。二少爷把东西往桌上一撂那神气，好赛又回到十多年前。黄老板说："真是瘦死的骆驼比马大，二少爷的箱底简直没有边啦！东西卖了快二十年，还是拿出一件是一件！"蔡二少爷笑笑，只淡淡说一句："我总不能把祖宗留下来的全卖了，那不成败家子了吗？"可一谈价就难了，每件东西的要价比黄老板心里估计的卖价还高，这在古玩行里叫作做：脖梗价。就是逼着别人上吊。

像蔡家这种人家卖东西，有两种卖法：一是卖穷，一是卖富。所谓卖穷，就是人家急等着用钱，着急出手，碰上这种人，就赛撞上大运；所谓卖富，就是人家不缺钱花，能卖大价钱才卖。遇到这种人，死活没办法。蔡二少爷一直是卖穷，嘛时候改卖富了？

一天，北京琉璃厂大雅轩的毛老板来到敬古斋。这一京一津两家古玩店，平日常有往来，彼此换货，互找买主，熟得很。

毛老板进门就瞧见古玩架上有件东西很眼熟，走近一看，一个精致的紫檀架上，放着一叠八片羊脂玉板刻的

《金刚经》，馆阁体的蝇头小字，讲究至极，还描了真金。他扭脸对黄老板说："这东西您打哪来的？"脸上的表情满是疑惑。

黄老板说："半个月前新进的，怎么？"

毛老板追问一句："谁卖您的？"

黄老板眼珠一转，心想你们京城人真不懂规矩。古玩行里，对人家的买主或卖主都不能乱打听。他笑了笑，没搭茬。

毛老板觉出自己问话不当，改口说："是不是你们天津的蔡二少爷匀给您的？这东西是打我手里买的。"

黄老板怔住，禁不住说："他是卖主呀！怎么还买东西？"

毛老板接过话："我一直以为他是买主，怎么还卖，要不我刚才问您。"

两人大眼对小眼，都发傻。

毛老板忽指着柜上的一个大明成化的青花瓶子说："那瓶子也是我卖给他的！他多少钱给您的？我可是跟白扔一样让给他的。"

毛老板还蒙在鼓里，黄老板心里头已经真相大白。他不能叫毛老板全弄明白。待毛老板走后，他马上对伙计们说：

"记住，蔡二少爷不能再打交道了。这王八蛋卖东西卖出能耐来了，已经成精了！"

滑稽畫

光緒三十四年十二月二十日出版
總發行所　天津河東奧界大馬路

民脂終日磨。
二老真苦了。
餵得洋犬肥。
守家方可靠。
須知奴隸資。
專望人護保。

自得齋稿

醒華

第五

十二期

纸烟何益

日昨行至东马路见一朱车之妓女跟随入均吸纸烟过来一
担真人所吸纸烟予怪其多及一回首见路旁停车数十辆车
大率皆多数之御烟物其实共一枝片等而吸者
竟和车之多因将趸子如先生戒吸烟单歌摘录一段以忠告
我向脆云

勧我同胞　莫吸烟草　日久常吸　伤体及脑
云龙孔雀牌　兰菊各单好　英美联公司　日本宜黄了
汕人沪商战　暗夺我金资　可叹我戏人　实在真可恼
九沪男合女　口舌满街坑　吴烟全不吸　闲钱省多少

背头杨

背頭楊

背头杨

光绪庚子后，社会维新，人心思变，光怪陆离，无奇不有，大直沽冒出一个奇人，人称背头杨。当时，男人的辫子剪得太急，而且头发受之父母，不肯剪去太多，剪完后又没有新发型接着，于是就剩下一头长长的散发，赛玉米穗子背在后脑壳上，俗称马子盖，大名叫背头。背头便成了维新的男人们流行的发式了。

既然如此，这个留背头姓杨的还有嘛新鲜的？您问得好，我告您——这人是女的！

大直沽有个姓杨的大户，两个没出门的闺女。杨大小姐，斯文好静，整天待在家；杨二小姐，激进好动，终日外边跑，模样和性情都跟小子们一样。而且好时髦，外边流行什么，她就立即弄到自己身上来。她头次听到革命二字，马上就铰了头发，仿照维新的男人们留个背头。这在当时可是个大新闻。可她不管家里怎么闹，外头怎么说，我行我素，快意得很。但没出十天，麻烦就来了——

这天傍晚，背头杨打老龙头的西学堂听完时事演讲回家。下边憋了一泡尿。她急着往家赶，愈急愈憋不住。简直赛江河翻浪，要决口子。她见道边有间茅厕，便一头钻进去。

天下的茅厕都是一边男一边女，中间隔道墙，左男右女。她正解裤带的当口，只听蹲着的一个女的大声尖叫："流氓，流氓！"跟着，另一个也叫起来，声音更大。她给这一叫弄蒙了。闹不清流氓在哪儿，提着裤子跑出去。谁料里边的几个女的跟着跑出来，喊打叫骂，认准她是个到女厕所占便宜的坏小子。过路的人上来把她截住，一拥而上，连踢带打。背头杨叫着："别打，别打，我是女的！"谁料招致更凶猛的殴打："打就打你这冒牌的'女的'！"直到巡警来，认出这是杨家的二小姐，才把她救出来送回家。背头杨给打得一身包，脸上挂了彩，见了爹娘，又哭又闹，一连多少天，那就不去说了。

打这儿，背头杨在外边再不敢进茅厕。憋急了就是尿在裤裆里，也不去茅厕。她不能进男厕，更不能进女厕。一时间，连自己是男是女也弄不清了。

她不去找事，可是事来找她。

她听说，大直沽一带的女厕所接连出事。据说总有个留背头的男子闯进去，进门就说："我是背头杨。"唬住对方，占些便宜后扭身就跑。虽然没出大事，却闹得人心惶惶。还有些地面上的小混混也趁火打劫，在女厕所的墙外时不时叫一嗓子："背头杨来了！"叫这一带的女厕所都赛闹鬼的房子，没人敢进去。

背头杨真弄不明白，维新怎么会招来这么多麻烦。不过留一个背头，连厕所也进不得。而且是进厕所不行，不进厕所也不行。不知是她把事情扰乱，还是事情把她扰乱。一赌气，她在屋里待了两个月。慢慢头发长了，恢复了女相，哎，这一来女厕所自然就随便进了；而且女厕所也肃静起来，好似天底下的麻烦全没了。

醒華

第三十六期

（醒俗畫報）

第百七期

現世運動大會場

運動金多擢必高 若有接力不
須挑斷無阻物能跑遠 賭賽而
今伐富豪
自得辭稿

光緒三十四年九月廿日出
總發行所
天津鼓樓東大街

認牙

认牙

治牙的华大夫，医术可谓顶天了。您朝他一张嘴，不用说哪个牙疼、哪个牙酸、哪个牙活动，他往里瞅一眼全知道。他能把真牙修理得赛假牙一样漂亮，也能把假牙做得赛真牙一样得用。他哪来的这么大的能耐？费猜！

华大夫人善、正派、规矩，可有个毛病，便是记性差，记不住人，见过就忘，忘得干干净净。您昨天刚去他的诊所瞧虫子牙，今儿在街头碰上，一打招呼，他不认得您了，您恼不恼？要说他眼神差，他从不戴镜子，可为嘛记性这么差？也是费猜！

后来，华大夫出了一件事，把这两个费猜的问题全解开了。

一天下晌，巡捕房来了两位便衣侦探，进门就问，今儿上午有没有一个黑脸汉子到诊所来。长相是络腮胡子，肿眼泡儿，挨着右嘴角一颗大黑痣。华大夫摇摇头说："记不得了。"

侦探问："您一上午看几号？"

华大夫回答："半天只看六号。"

侦探说："这就奇了！一上午总共才六个人，怎么会记不住？再说这人的长相，就是在大街上扫一眼，保管也会记一年。明白告你吧，这人上个月在估衣街持枪抢了一家首饰店，是通缉的要犯，您不说，难道跟他有瓜葛？"

华大夫平时没脾气，一听这话登时火起，"啪！"一拍桌子，拔牙的钳子在桌面上蹦得老高。他说："我华家三代行医，治病救人，从不做违背良心的事。记不得就是记不得！我也明白告诉你们，那祸害人的家伙要给我瞧见，甭你们来找我，我找你们去！"

两位侦探见牙医动怒，龇着白牙，露着牙花，不像装假。他们迟疑片刻，扭身走了。

天冷了的一天，华大夫真的急急慌慌跑到巡捕房来。

跑得太急，大褂都裂了。他说那抢首饰店的家伙正在开封道上的"一壶春"酒楼喝酒呢！巡捕闻知马上赶去，居然把这黑脸巨匪捉拿归案了。

侦探说："华大夫，您怎么认出他来的？"

华大夫说："当时我也在'一壶春'吃饭，看见这家伙正跟人喝酒。我先认出他嘴角那颗黑痣，这长相是你们告诉我的，可我还不敢断定就是他，天下不会只有一个嘴角长痣的，万万不能弄错！但等到他咧嘴一笑，露出那颗虎牙，这牙我给他看过，记得，没错！我便赶紧报信来了！"

侦探说："我还是不明白，怎么一看牙就认出来了呢？"

华大夫哈哈大笑，说："我是治牙的呀，我不认识人，可认识牙呀！"

侦探听罢，惊奇不已。

这事传出去，人们对他那费猜的事就全明白啦。他记不住人，不是毛病，因为他不记人，只记牙；治牙的，把全部心思都使在牙上，医术还能不高？

新當舊當。
全要齊。
此種見。
鮮謂之
騎牆。
如心
頴心

滑稽畫
自得辭稿

號新 號舊

當 當

天津縣議事會

青云楼主

青雲樓主

青云楼主

青云楼主，海河边一小文人的号。嘛叫小文人？就是在人们嘴边绝对挂不上号，可提起他来差不多还都知道的那类文人。

此君脸窄身薄，皮黄肉干，胳膊大腿又细又长，远瞧赛几根竹竿子上晾着的一张豆皮。但人不可貌相，海水不可斗量。他能写能画，能刻图章，连托裱的事也行；可行家们说他——手糙了点儿。因故，天津卫的买卖没他写的匾，饭庄药铺的墙上不挂他的画。他于书画这行，是又在行里，又在行外。文人落到这步，那股子"怀才不遇"的滋味，是苦是酸，还是又苦又酸，只有他自己知道了。

于是，青云楼这斋号就叫他想出来了。他自号青云楼主，还写了一副对子挂在迎面墙壁上："人在青山里，心卧白云中"。他常常自言自语念这对子。每每念罢，闭目摇肩，真如隐士。然而，天津卫是个凡夫俗子的花花世界，青云楼就在大胡同东口，买东西的和卖东西的挤成个团儿。再说他隔墙就是四季春大酒楼，整天鱼味肉味葱味酱味换着样儿往窗户里边飘。关上窗户？那管屁用！窗玻璃拦得住鱼鲜肉香，却拦不住灯红酒绿。一位邻居对他说："你这青云楼干脆也改成饭馆算了。这青云楼三字听着还挺好听，一叫准响！"

这话当时差点叫他死过去。

天旋地转，运气有变。一天，有个好事的小子陈八，带来一位美国人拜访他。这人五十多岁，秃头鼓眼大胡子，胡子里头瞧不见嘴。陈八说这老美喜欢中国的老东西，尤其是字画。青云楼主头一回与洋人会面，脑子发乱，手脚也忙，踩凳子挂画时，差点来个人仰马翻。那老美并没注意到他，只管去瞧墙上的画，每瞧一幅，就哇啦哇啦叫一嗓子，好赛洗屁股时叫水烫着了。然后，噘起嘴喷喷赞赏一番。这一嘬嘴，就见有一个樱桃样的东西，又湿又红，从他的胡子中间拱出来。青云楼主定神一看，原来是这老美的嘴唇。最后他用中文一个字一个字对青云楼主说："我、太、高、兴、了、谢、谢——我、太、高、兴、了、谢、谢——"他大概只学了这几个字，反反复复地说，一直到告辞而去。

青云楼主高兴得要疯。他这辈子，头次叫人这么崇拜。两个月后，他收到一封洋文写的信。他拿到《大公报》的报馆去找懂洋文的朱先生。朱先生一看就笑了，对他说："你用嘛法子，把人家老美都折腾出神经病来了！他说他回国后天天眼睛里都是你写的字，晚上做梦也是你的字，还说他感到中国的艺术家绝对都是天才！"

青云楼主如上青云，身子发飘，一夜没睡，天亮时，忽来灵感，挥笔给那老美写了"宁静致远"四个大字，亲手裱成横批，送到邮局寄去。邮件里还附一张信纸，提个要求，要人家把字挂在墙上后，无论如何站在这字前面，照张照片寄来。他想，他要拿这照片给人看。给亲友看，给街坊邻居看，给那些小看他的人看，再给买卖家那几个大老板看，给报馆的编辑们看，最后在报上刊登出来。都看吧！瞪圆你们的狗眼看看吧！你们不认我，人家老美认我！

　　他在青云楼中坐等三个月，直等到有点疑惑甚至有点泄气时，一封外皮上写着洋文的信终于寄来了。他忙撕开，抻出一封信，全是洋文，他不懂，里边并没照片。再看信封，照片竟卡在里边，他捏住照片抻出来一瞧，有点别扭，不大对劲，他再细瞧，竟傻了。那老美倒是站在他那字的前边照了相，可是字儿却挂倒了，全朝下了！

囲神烟火

本園禁演淫戲

衣物寄櫃

惡習宜除

北京天明茶園於正月底下午四鐘起于南角有一嗣義少年穿紅灰色衣服帶金邊眼鏡手持千里眼其向樓上眺望其狎亵情形不堪言狀有家庭教育者其慎諸挨入園觀劇而以千里眼窺視女座此種惡風若不早為懲戒則笑而駭異思有以攝影鏡暗照婦人者該管官廳宜急思查禁兩軒將之婦女廊聞而知戒此可

小杨月楼义结李金鏊

小杨月場義結李子金鏊

小杨月楼义结李金鏊

民国二十八年，龙王爷闯进天津卫，大小楼房全赛站在水里。三层楼房水过腿，两层楼房水齐腰，小平房便都落得"没顶之灾"了。街上行船，窗户当门，买卖停业，车辆不通，小杨月楼和他的一班人马，被困在南市的庆云戏院。那时候，人都泡在水里，哪有心思看戏？这班子二十来号人便睡在戏台上。

龙王爷赖在天津一连几个月，戏班照样人吃马喂，把钱使净，便将十多箱行头道具押在河北大街的"万成当"。等到水退了，火车通车，小杨月楼急着返回上海，凑钱买了车票，就没钱赎当了，急得他闹牙疼，腮帮子肿得老高。戏院一位热心肠的小伙计对他说："您不如去求李金鏊帮忙，那人仗义，拿义气当命。凭您的名气，有求必应。"

李金鏊是天津卫出名的一位大锅伙，混混头儿。上刀山、下火海、跳油锅，绝不含糊，死千[1]一个。虽然黑白道上，也讲规矩讲脸面讲义气，拔刀相助的事，李金鏊干过不少，小杨月楼却从来不沾这号人。可是今儿事情逼到这地步，不去也得去了。他跟随这小伙计到了西头，过街穿巷，抬眼一瞧，怔住了。篱笆墙，栅栏门，几间爬爬屋，大名鼎鼎的李金鏊就住在这破瓦寒窑里？小伙计却截门一声呼："李二爷！"

应声打屋里猫腰走出一个人来，出屋直起身，吓了小杨月楼一跳。这人足有六尺高，肩膀赛门宽，老脸老皮，胡子拉碴；那件灰布大褂，足够改成个大床单，上边还油了几块。小杨月楼以为找错人家，没想到这人说话嘴上赛扣个罐子，瓮声瓮气问道："找我干嘛？"口气挺硬，眼神极横，错不了，李金鏊！

---

1. 死千：天津地方土语，也是混混儿的行话。千即抽千，混混儿行事都有抽千的办法。易事难事，全凭自己。死千表示担当出生入死的差事。

进了屋，屋里赛破庙，地上是土，条案上也是土，东西全是东倒西歪；迎面那八仙桌子，四条腿缺了一条，拿砖顶上；桌上的茶壶，破嘴缺把，磕底裂肚，盖上没疙瘩。小杨月楼心想，李金鏊是真穷还是装穷？若是真穷，拿嘛帮助自己？于是心里不抱什么希望了。

李金鏊打量来客，一身春绸裤褂，白丝袜子，黑礼服呢鞋，头戴一顶细辫巴拿马草帽，手拿一柄有字有画的斑竹折扇。他瞄着小杨月楼说："我在哪儿见过你？"眼神还挺横，不赛对客人，赛对仇人。

戏院小伙计忙做一番介绍，表明来意。李金鏊立即起身，拱拱手说："我眼拙，杨老板可别在意。您到天津卫来唱戏，是咱天津有耳朵人的福气！哪能叫您受治、委屈！您明儿晌后就去'万成当'拉东西去吧！"说得真爽快，好赛天津卫是他家。这更叫小杨月楼满腹狐疑，以为到这儿来做戏玩。

转天一早，李金鏊来到河北大街的"万成当"，进门朝着高高的柜台仰头叫道："告你们老板去，说我李金鏊拜访他来了！"这一句，不单把柜上的伙计吓跑了，也把来典当的主顾吓跑了。老板慌张出来，请李金鏊到楼上喝茶，李金鳌理也不理，只说："我朋友杨老板有几个戏箱押在你这里，没钱赎当，你先叫他搬走，交情记着，咱们往后再说。"说完拨头便走。

当日晌后，小杨月楼带着几个人碰运气赛的来到"万成当"，进门却见自己的十几个戏箱——大衣箱、二衣箱、三衣箱、盔头箱、旗把箱等等，早已摆在柜台外边。小杨月楼大喜过望，竟然叫好喊出声来。这样便取了戏箱，高高兴兴返回上海。

小杨月楼走后，天津卫的锅伙们听说这件事，佩服李金鳌的义气，纷纷来到"万成当"，要把小杨月楼欠下的赎当钱补上。老板不肯收，锅伙们把钱截着柜台扔进去就走。多少亦不论，反正多得多。这事又传到李金鳌耳朵里。李金鳌在北大关的天庆馆摆了几桌，将这些代自己还情的弟兄们着实宴请一顿。

谁想到小杨月楼回到上海，不出三个月，寄张银票到天津"万成当"，补还那笔欠款。"万成当"收过锅伙们的钱，哪敢再收双份，老板亲自捧着钱给李金鳌送来了。李金鳌嘛人？不单分文不取，看也没看，叫人把这笔钱分别还给那帮代他付钱的弟兄。至此，钱上边的事清楚了，谁也不欠谁的了。这事本该了结，可是情没结，怎么结？

转年冬天，上海奇冷，黄浦江冰冻三尺，大河盖上盖儿。甭说海上的船开不进江来，江里的船晚走两天便给冻得死死的，比抛锚还稳当。这就断了码头上脚夫们的生路，尤其打天津去扛活的弟兄们，肚子里的东西一天比一天少，快只剩下凉气了。恰巧李金鳌到上海办事，见这情景，正愁没辙，抬眼瞅见小杨月楼主演《芸娘》的海报，拔腿便去找小杨月楼。

赶到大舞台时，小杨月楼正是闭幕卸装时候，听说天津的李金鳌在大门外等候，脸上带着油彩就跑出来。只见台阶下大雪里站着一条高高的汉子。他口呼："二哥！"三步并两步跑下台阶。脚底板冰雪一滑，一屁股坐在地上，仰脸对李金鳌还满是欢笑。

小杨月楼在锦江饭店盛宴款待这位心中敬佩的津门恩人。李金鳌说："杨老板，您喂得饱我一个脑袋，喂不饱我黄浦江边的上千个扛活的弟兄。如今大河盖盖儿，弟兄们没饭辙，眼瞅着小命不长。"

小杨月楼慨然说："我去想办法！"

李金鳌说："那倒不用。您只要把上海所有名角约到一块儿，义演三天就成！戏票全给我，我叫弟兄们自个儿找主去卖，这么做难为您吗？"

小杨月楼说："二哥真行，您叫我帮忙，又不叫我费劲。这点事还不好办吗？"第二天就把大上海所有名角，像赵君玉、周信芳、黄玉麟、刘筱衡、王芸芳、刘斌昆、高百岁等等，全都约齐，在黄金戏院举行义演。戏票由天津这帮弟兄拿到平日扛活的主家那里去卖。这些主家花钱买几张票，又看戏，又帮忙，落人情，过戏瘾，谁不肯？何况这么多名角同台献艺，还是《龙凤呈祥》、《红鬃烈马》一些热闹好看的大戏，更是千载难逢。一连三天过去，便把冻成冰棍的上千个弟兄全救活了。

李金鏊完事要回天津，临行前，小杨月楼又是设宴送行。酒足饭饱时，小杨月楼叫人拿出一大包银子，外头拿红纸包得四四方方，送给李金鏊。既是盘缠，也有对去年那事谢恩之意。李金鏊一见钱，面孔马上板起来，沉下来的嗓门更显得瓮声瓮气。他说道："杨老板，我这人，向例只交朋友，不交钱。想想看，您我这段交情，有来有往，打谁手里过过钱？谁又看见过钱？折腾来折腾去，不都是那些情义吗？钱再多也经不住花，可咱们的交情使不完!"说完起身告辞。

小杨月楼叫李金鳌这一席话说得又热又辣,五体流畅。第二天唱《花木兰》,分外地精气神足,嗓门冒光,整场都是满堂彩。

古今名媛影

卷下 木蘭 跳舞

跳舞

歌曲神謠跳舞傳
霓裳舊譜瀰鄜
非關揮袖工柔媚
正是凌霄活潑天
　　青溪

梁府新翻綺席闌
承香人影共徘徊
分明結得同心註
姊妹舞燈大舞台
　　膚煙

一醒華第五十四期

變戲法

天津風俗圖之九

這種變戲法的
是在寬闊場
中他手裏拿
着一個銅
鑼連連敲打
幾下不多時
就有男女
老老少少圍着
觀看他練習
坐頤硬工夫
變幻些各樣
物件嘴裏還
說些笑話為
的是助心興致
變一回向大家
欵一次錢大家
即向場中扔
一回錢似乎
連說費貴心
這輩生意趄
上好的時候
真可以十吊
八吊的賺錢

一順

泥人张

泥人張

泥人张

手艺道上的人，捏泥人的"泥人张"排第一。而且，有第一，没第二，第三差着十万八千里。

泥人张大名叫张明山。咸丰年间常去的地方有两处，一是东北城角的戏院大观楼，一是北关口的饭馆天庆馆。坐在那儿，为了瞧各样的人，也为捏各样的人。去大观楼要看戏台上的各种角色，去天庆馆要看人世间的各种角色。这后一种的样儿更多。

那天下雨，他一个人坐在天庆馆里饮酒，一边留神四下里吃客们的模样。这当儿，打外边进来三个人。中间一位穿得阔绰，大脑袋，中溜个子，挺着肚子，架势挺牛，横冲直撞往里走。站在迎门桌子上的"嘹高的"一瞅，赶紧吆喝着："益照临的张五爷可是稀客，贵客，张五爷这儿总共三位——里边请！"

一听这喊话，吃饭的人都停住嘴巴，甚至放下筷子瞧瞧这位大名鼎鼎的张五爷。当下，城里城外气最冲的要算这位靠着贩盐赚下金山的张锦文。他当年由于为盛京将军海仁卖过命，被海大人收为义子，排行老五，所以又有"海张五"一称。但人家当面叫他张五爷，背后叫他海张五。天津卫是做买卖的地界儿，谁有钱谁横，官儿也怵三分。可是手艺人除外。手艺人靠手吃饭，求谁？怵谁？故此，泥人张只管饮酒，吃菜，西瞧东看，全然没把海张五当个人物。

但是不一会儿，就听海张五那边议论起他来。有个细嗓门的说："人家台下一边看戏，一边手在袖子里捏泥人。捏完拿出来一瞧，台上的嘛样，他捏的嘛样。"跟着就是海张五的大粗嗓门说："在哪儿捏？在袖子里捏？在裤裆里捏吧！"随后一阵笑，拿泥人张找乐子。

这些话天庆馆里的人全都听见了。人们等着瞧艺高胆大的泥人张怎么"回报"海张五。一个泥团儿砍过去？

只见人家泥人张听赛没听，左手伸到桌子下边，打鞋底下抠下一块泥巴，右手依然端杯饮酒，眼睛也只瞅着桌上的酒菜。这左手便摆弄起这团泥巴来，几个手指飞快捏弄，比变戏法的刘秃子的手还灵巧。海张五那边还在不停地找乐子，泥人张这边肯定把那些话在他手里这团泥上全找回来了。随后手一停，他把这泥团往桌上"叭"地一戳，起身去柜台结账。

吃饭的人伸脖一瞧，这泥人真捏绝了！就赛把海张五的脑袋割下来放在桌上一般。瓢似的脑袋，小鼓眼，一脸狂气，比海张五还像海张五。只是只有核桃大小。

海张五在那边，隔着两丈远就看出捏的是他。他朝着正走出门的泥人张的背影叫道："这破手艺也想赚钱，贱卖都没人要。"

泥人张头都没回，撑开伞走了。但天津卫的事没有这样完的——

第二天，北门外估衣街的几个小杂货摊上，摆出来一排排海张五这个泥像，还加了个身子，大模大样坐在那里。而且是翻模子扣的，成批生产，足有一二百个。摊上还都贴着个白纸条，上边使墨笔写着：

贱卖海张五

估衣街上来来往往的人，谁看谁乐。乐完找熟人来
看，再一块乐。

三天后，海张五派人花了大价钱，才把这些泥人全买
走，据说连泥模子也买走了。泥人是没了，可"贱卖海张
五"这事却传了一百多年，直到今儿个。

有上梁李垚瑞夏隆筆

朱嘉國何于日前搶而戚

郤高陵漢島凌凌名埴

寰悸祂五相隼殿卵

隙五、四區副宫宋晨

爭聲陳庅冨將而赤

及妓女萋一倂留、而走

案云、

拙捧硅韶蜜持械三阵此皆

吾津奪日

君瓜自迎警林五、

事已勃矣、

不惡今又復萌矣、

竊謂此等、

土棍宜加等重辦、

示呈為

地方去害也、

绝盗

绝盗

　　老城区和租界之间那块地，是天津卫最野的地界。人头极杂，邪事横生。二十年代，这里一处临街小屋，来了一对青年男女租房结婚。新床新柜，红壶绿盆，漂漂亮亮装满一屋。大门外两边墙垛子上还贴了一双红喜字。结婚转天一早，小两口就出门做事上班。邻居也不知他们姓甚名谁。

　　事过三天，小两口去上班不久，忽然打东边飞也似的来了一辆拉货的平板三轮。蹬车的是个老头子，骨瘦肉紧，皮黑牙黄，小腿肚子赛两个铁球，一望便知是个长年蹬车的车夫。车板上蹲着两个小子，全是十七八岁，手拿木棍、板斧和麻绳。这爷仨面色都凶，看似来捉冤家。

老头子把车直蹬到那新婚小两口的门前，猛一刹车，车上俩小子蹦下来，奔到门前一看，扭头对那老头子说："爹，人不在家，门还锁着呢！"门板上确是挂着一把大洋锁。

老头子登时火冒三丈，眼珠子瞪得全是眼白，脑袋脖子上的青筋直蹦，跳下车大骂起来："这不孝的禽兽，不管爹娘，跑到这儿造他妈官殿来了。小二、小三，给我把门砸开！"

应声，那两个小子抢起板斧，把门锁砸散。门儿大开，一屋子新房的物品全亮在眼前。老头子一看更怒，手指空屋子，又跳又叫，声大吓人：

"好啊，没心没肺的东西！从小疼你抱你喂你宠你，把你这白眼狼养活成人。如今你娘一身病，请大夫吃药没钱，你一个子儿不给，弄个小妖精藏到这儿享福来，你娘快死啦！你享福？我就叫你享福享福享福！小二小三！站着干嘛！把屋里东西全给我弄回家去！要敢偏向你们大哥，我就砸折你俩的腿！"

那两个小子七手八脚，把屋里的箱子包袱、被褥衣服抱出来，往车上堆。

邻居们跑出来围观。听这老头子一通骂，才知道那新婚小两口的来历。这种连快死的老娘都不管的白眼狼，自然没人出来管。再说那老头子怒火正旺，人像过年放的火炮，一个劲儿往上蹿，谁拦他，他准和谁玩命！

东西搬得差不多了，那俩小子说："爹，大家伙抬不动，怎么办？"

老头子一声惊雷落地："砸！"

跟着一通乱响，最后玻璃杯子打屋里也扔了出来，这才罢手。老头子依旧怒气难消，吼一句："明儿见面再说！"便扬长而去。

门儿大敞开没人管，晾了一整天。邻居们远远站着，没人上前，可谁也没离开。等着那小两口回来有戏看。

下晌，新婚的小两口打西边有说有笑地回来。到家门口一看，蒙了。过去问邻居，一直站在那里的邻居反而纷纷散开。有位大爷出来说话，显然他对这不尽孝心的年轻人不满，朝新郎说道：

"早上，你爹和你兄弟们来了，是他们干的。你回你爹妈那儿去看看吧！"

新郎一听，更蒙。忽然禁不住大声叫道："我哪还有爹呀！我三岁时爹就死了，我娘大前年也死了。只一个姐姐嫁到关外去，哪来的兄弟？"

"嘛？"大爷一惊。可早上的事真真切切，一时脑筋没转过来，还是说，"那明明是你爹呀！"

小两口赶紧去局子报案。但案子往下足足查了十年，也没找到他们那个"爹"。

天津卫的盗案千奇百怪，这一桩却数第一。偷盗的居然做了人家的"爹"；被盗的损失财物不说，反当了"儿子"，而且还叫人哑巴吃黄连——有苦说不出来。若是忍不住跟人说了，招不来同情，反叫人取笑，更倒霉。多损，多辣，多绝——多邪！

夜夜防賊

西頭先春園公所胡同
內住有張某洋貨行人、
並無男子在家於二十
二日晚八點鐘、有賊匪一
名闖入屋內竊取衣物梯
被等件後竟失主張某、
協同地方赴二局四區報案
請緝。（丙）

按家典男子便
遭賊偷與家無
住官使愛官欺
其事雖不同其
為居家之不幸
則一也究竟何
在吾敬遠盜矣。

水之江漢星之北斗

鶴在雲霄鳳不在林

年年吉慶

小達子

小达子

小达子其貌不扬，短脖短腿，灰眼灰皮，软绵绵赛块烤山芋；站着赛个影子，走路赛一道烟儿，人说这种人天生是当贼的材料。没错！小达子眼刁手疾，就是你把票子贴在肚皮上，转眼也会到他手里，还保管叫你不知不觉，连肚皮贴票子的感觉也没变。可他最看家的本事，是在电车上。你在车上要是遇到他，千万别往他身上靠，否则你身上有什么，就一准没什么。

举个例子说，比方那种穿西服的小子，要是上了电车，保他没跑！因为那种小子好时髦，钱包都掖在西服裤子的屁股后边口袋里，口袋没盖，上边露着钱包窄窄一道边儿。可要想伸手把钱包抻出来，也是妄想。口袋小，钱包鼓，紧绷绷，屁股上的神经不比脸皮的神经差，一动就察觉。小达子却自有招儿。逢到此时，他往车门边的柱子一倚，等车一停，那小子下车的一刹那，他手比电光还快，刷地过去，用食指和中指的指尖夹住钱包的边儿。下车时人的重心和注意力都向下，于是口袋的钱包不用去抻，它自个儿就舒舒服服不知不觉退出来了。

话说到这儿，别以为这电车上的天下就是小达子的。

一天，小达子在车上，打白帽衙门那站上来一位中年男子，黑礼服呢的褂子外边亮晶晶晃荡着一条纯金的怀表链，还挺粗。小达子待着没动，等车快到梨栈时，他靠上去。这儿的车轨有一截 S 形。车到这里，必得一晃，他借势往那人身上一靠，表就到他手里，跟手揣入怀中；动作快得连眼珠子也跟不上。等车到梨栈，下车人多，他便挤在人群中，快快下车离开了现场。

他一边走，一边美滋滋琢磨着今天的收获。忽然间发现走在前边的一个人，很像刚才车上那个中年男子。他正犹疑的当口，那人转过身来，果真就是那人；奇怪的是，那人胸口地方亮闪闪，依然晃着那条又粗又亮的表链！难道他还有一块表？小达子不自觉用手一摸自己怀中，吓了一跳，竟然空空如也。他半辈子偷别人，头一遭尝到挨偷后的感觉。更栽跟斗的是，他怎么也琢磨不出这家伙用什么法儿从他身上把表取回去的。这人见他发傻的样子，龇牙一笑，笑里分明带着几分轻贱他的意味，好似说："你笨手笨脚也想干这个！"然后收起笑来，转身而去。

打这天，小达子不再上电车。

當今皇帝聖容

宣統元年正月朔臣陳藝恭繪

土墙
大睡

昨在河北大街见一四十餘
岁人衣服整齐倚在某布
店墙眼垂头大睡鼾声如
雷众行人争相观视之
居邻则云此人生平好睡虽
此人游行饮食便溺时均能
瞌念眼睛相二犹作庄生之
蝶梦寝盛之妖妙枥以天下
滔之不堪睁眼隐于异甜乡与
按现世电车彼行天某人
力车往来拥挤家有此类
夫然偶尔成出门或派人跟
随方铁免意外之危险云

大回

大

回

大回

大回姓回，人高马大，手大脚大嘴大耳朵大，人叫他大回。叫惯了大回，反倒没人知道他的名字。

大回是能人，专攻垂钓。手里一根竹竿子，就是钓鱼竿；一个使针敲成的钩，就是鱼钩；一根纳鞋底子用的上了蜡的细线绳，就是鱼线；还有一片鸽子的羽毛拴在线绳上，就是鱼漂。只凭这几样再普通不过的东西，他蹲在坑边，顶多七天，能把坑里几千条鱼钓光了。连鱼秧子也逃不掉。

甭管水里的鱼多杂，他想要哪种鱼就专上哪种鱼；他还能钓完公鱼钓母鱼，一对对地往上钓。他钓的大鱼比他还沉，钓的小鱼比鱼钩还小。

人说钓鱼凭的是运气，他凭的全是能耐。

钓鲫鱼用的红虫子，又小又细，好赛线头，而且只有一层薄皮儿，里边一兜儿血红的水。要想把鱼钩穿进去，那可不易；弄不好钩尖一斜，一股红水出来，单剩下一层皮儿了。可人家大回把红虫子全放在嘴里，在腮帮子那里存着。用的时候，手指捏着鱼钩，张开嘴把钩往里边一挂，保管把那小红虫漂漂亮亮穿在鱼钩上。就这手活，谁会？

他无论钓什么都有绝法，比方钓王八。

钓鱼时钩到王八，都是竿儿弯，线不动，很容易疑惑是钩上了水下边的石块。心里急，一使劲，线断了！大回不急，稳稳绷住。停了会儿，见线一走，认准那是王八在爬，就更不急着提竿。尤其大王八，被鱼钩钩住之后，便用两只前爪子抓住水草。假若用力提竿，竿不折线断。每到这时候，大回便从腰间摸出一个铜环，从鱼竿的底把套进去，穿过鱼竿一松手，铜环便顺着鱼线溜下去。水底下的王八正吃着劲儿，忽见一个锃亮的东西直朝自己的脑袋飞来，不知是嘛，扬起前爪子一挡，这便松开下边的草。

嘿，就势把它舒舒服服地提上来！

这招这法，还在哪儿见过？

天津卫人过年有个风俗，便是放生。就是把一条活鲤鱼放到河里去。为的是行善，求好报。放鱼时，要在鱼的背鳍上拴一根红绳，做个记号。倘若第二年把这鱼打上来，就再拴一根红绳。第三年照样还拴一根。据说这种背上拴着三根红绳的鲤鱼，放到河里，可以跳龙门。一切人间的福禄寿财，就全招来了。

可是鲤鱼到处有，拴红绳的鱼无处弄到。鱼要是给鱼钩钩过一次，就变得又灵又贼。拴一根红绳的鲤鱼在鱼市上偶尔还能看见，拴两根红绳的鲤鱼看不见，拴三根红绳的连撒网打鱼的也没瞧见过。你想花大价钱买，他会笑着说："你有本事把河淘干了，我就有本事把它弄上来。"

怎么办？找大回。天津卫八大家都是一进腊月，就跟大回订这种三根红绳的鲤鱼了。

大回站在河边，看好鱼道。鱼道就是鱼在水里常走的路，大回有双神眼，能一眼看到水里。他瞧准鲤鱼常待的地界，把一个面团扔下去。这面团比栗子大，小鱼吃不进嘴，大鱼一口一个。但这面团里边决不下钩，纯粹是扔到河里喂鱼，一天扔一个。开头，那贼乎乎的大鱼冒着危险试着吃，一吃没事；第二天再来一个，胆儿便渐渐大起来；最后见了面团张嘴就吞。半个月二十天后，大回心想差不多了，用鱼钩钩个面团扔下去。错不了——一条拴红绳的大鲤鱼就结结实实绷住了。

可是这法子最多只能钓到拴两根红绳的鲤鱼。三根红绳的鲤鱼决不上钩。这三根绳的鲤鱼已经给钓到三次，就是吃屎也不敢再吃面团了。使嘛法子？就用小孩的屈屁做鱼食！大回不是把鱼琢磨透了？

南门外那些水坑，哪个坑里有嘛鱼，哪个坑里的鱼大小，哪个坑的鱼有多少条，他心里全一清二楚。他能把坑里的鱼全钓绝了，但他也决不把任何一个坑里的鱼钓绝了。钓绝了，他玩嘛？故而，小鱼不钓，等它长大，母鱼不钓，等它产子。远近钓者都称他"鱼绝后"。这可不是骂他，是夸他。

这外号并不好——

民国三年，夏至后转一天。大回钓一天鱼，人困力乏。多半辈子，整天站在坑边河边，风吹日晒，身子里的油耗得差不多了。他在鼓楼北的聚合成饭庄，吃饱肚子喝足酒，提着一篓子鱼摇摇晃晃回家。走不动就靠墙睡会儿。他家在北城根，这一段路不近，他走走停停直到午夜，迷迷糊糊就趴在大街上了。这时街上走过来一辆拉东西的马车，赶车人在车上睡着了。但就是醒着也瞧不见他——凑巧这段路的几盏街灯给风吹灭了。这真是该活死不了，该死活不了。马车从他身上轧过去时，车夫那老家伙睡得太死，居然也没觉出来。转天天亮才叫人发现，大回给车轧成一个片儿了，赛张纸似的贴在地面上。奇怪的是，人轧瘪了，鱼篓子却没轧着，里边的鱼还都活着。等巡警一追查，更奇怪的是，那车上拉的东西，竟然是一车鱼！这事叫人听了一怔一惊，脖子后边冒出凉气来。

有人说，这事坏就坏在他那个外号上了，"鱼绝后"就是叫"鱼"把他"绝后"了。但也有人说，这是上天的报应，他一辈子钓的鱼实在太多了，龙王爷叫他去以命抵命。可事情传到东城里的文人裴文锦——裴五爷那里，人家念书的人说的话就另一个味儿了。人家说：

"能人全都死在能耐上。"

沈痒犯

柴萝礼徐供招援拍极之心
追访彼我不逾二十三晚间
率丝系党住雁中得刀
石破统赵因三七之日恭逢
万着生命绑不行昨手
二十四年亩刺厅刑军前
长御大令雨雪得岩山白俨
柴猪王命时後孔柴梦礼
优地正法手午後二聘船渡
昝徐康隍崔颜奇山君平阖
捕温剑子手等四审刺厅厮该
犯柴梦礼御出旺敀扬雪三令
门蔺豪斩一时观者如堵云
舣人贾舟欠债吴钱野活山

劉道元活出殯

刘道元活出殡

天津卫的买卖家多如牛毛。两家之间只要纠纷一起，立时就有一种人钻进来，挑词架讼，把事闹大，一边代写状子，一边去拉拢官府，四处奔忙，借机搂钱。这种人便是文混混儿。

混混儿是天津卫土产的痞子，历来分文武两种。武混混儿讲打讲闹，动辄断臂开瓢，血战一场；文混混儿却只凭手中一支笔，专替吃官司的买卖家代理讼事。别看笔毛是软的，可文混混儿的毛笔里藏着一把尖刀。白纸黑字，照样要人命。这文混混儿之中，拔尖的要数刘道元。

买卖家打官司，谁使刘

道元的状子谁准赢，没跑。人说，他手里的笔就是判官笔，他本人就是本地人间的判官，谁死谁活，全看他笔下的一撇一捺了。可是他决不管小店小铺的事，只给大买卖写状子。大买卖有钱，要多少给多少。他要是缺钱，也用不着去借，只要到大买卖门前，往门框上一靠，掌柜的立时就包一包钱，笑嘻嘻送上来。那些武混混儿来要钱，都是用爬头钉打嘴里把自己的嘴巴子钉在门框上，不给钱不算完。那模样龇牙咧嘴，鲜血直流，真把人吓死。但人家文混混儿刘道元决不这么干，他倚在门框上的神气，好赛闲着没事晒太阳。只要钱一到手，扭身就走，绝不多事。这便是文混混儿的这个"文"字了。

刘道元有钱，不买房置地，不耍钱，不逛窑子，连仆婢也一概不用。光棍一个人，一直住在西门外掩骨会北边的一个院子，由两个徒弟金三和马四伺候着。赚来的钱，吃用之外，全都使在义气上了。他走在路上，只要听到谁家在屋里哭哭啼啼，说穷道苦，或者穷得打架，便一撩窗子，一把钱哗啦啦扔进去。掩骨会那一带，不少人家受过他的恩惠。可谁也不敢当面谢他；你谢他，他不认账，还翻脸骂你。

要论混混儿的性子，不管文武，全一个混样。

一天，他忽把俩徒弟金三和马四叫到跟前说："师傅我今年五十六，人间的事看遍了，阴间的事一点也不知道。近来我总琢磨着，这人死后到底嘛样？我今儿有个好主意，我装死，活着出一次殡，我呢，就躲在棺材里，好好开开眼。可我人在棺材里，外边事不能料理，就全交给你们俩了。听着！你们俩王八蛋别心一黑，把我钉死在棺材里！"

金三灵又快，马四笨又慢。金三说："哪能呢，师傅要是完了，我俩还不如一对丧家犬呢。师傅！您的主意虽好，可人家死人，都得累七作斋，至少也得七天。您哪能天天躲在棺材里？那里边又黑又窄又闷，您受得住？再说您要是急着吃东西、急着拉屎怎么办？我的意思，棺材摆在灵堂上是空的，您人藏在后院那间堆东西的小屋里。后院绝对不准人去。吃喝一切，我俩天天照样伺候您。等到出殡那天，您再往棺材里一钻。至于那棺材盖儿，哪能钉呀，您还得掀开一点往外瞧呢！"

刘道元笑了，说："你这王八蛋还真灵，就这么办吧！"

跟着，天津卫全知道大文混混儿刘道元死了，还知道他是半夜得暴病死的。于是刘家门外贴出讣告，家内设了灵堂，放棺材，摆牌位，还供上那支大名鼎鼎的判官笔，再请来和尚，吹吹打打，作斋七天。来吊唁的人真不少，门口排成长龙，好赛大年夜卞家开粥场。

刘道元藏在后院小屋里，有吃有喝，还有个盆，能够拉尿，倒蛮舒服。金三一直在前边盯着应酬，马四不时跑来向师傅送个消息。开头，刘道元很是得意。心想自己活着时威风八面，人"死"后一样神气十分。可是两天过后，一寻思，有点不对。那些给他打赢官司的大掌柜们，怎么一个没来；没名没姓的人倒是蜂拥而至。是不是来看热闹的？这些人平时走过他家门口，连扭头朝里边瞥上一眼都不敢，此刻居然能登堂入室，把他这个大混混儿日常的活法，看个明白。马四说，头年里叫他一纸状子几乎倾家荡产的福顺成洋货店的贺老板，这次也来了。他大模大样走上灵堂，非但不行礼，却"呸"地把一口大黏痰留在地上。随后，任嘛稀奇古怪的事全来了。

作斋的第四天，一条大汉破门而入，居然还牵着一条狼狗进了灵堂。进门就骂："姓刘的，你一死，借我那十条金子，叫我找谁要去？你不还我钱，我就坐在这儿不起来。"他真的就坐在堂屋中央一动不动。占着地界儿,叫别人没法进来行礼。金三马四从来没见过这汉子,知道是找碴儿讹钱来的。上去连说带劝也没用,只好动手去拉,谁料这汉子劲儿奇大,一拳一个,把金三马四打得各一个元宝大翻身。金三马四都是文混混儿,下笔千斤,手中无力,拿他没辙,干瞪眼等着。直到后晌,他闹得没劲,才起身离去。临出门时说十天后要来收这几间屋子顶债。他牵来的那只大狼狗一蹿,把摆在桌上用来施舍给孤魂野鬼的大白馒头叼走一个。

马四人实,把这些事全都照实说了。刘道元一听,火冒三丈,气得直叫:"哪个王八蛋敢来坑我!我刘道元跟谁借过钱?我不死啦!我看看这个王八蛋是谁?"这就要到前边去。

马四顶不住,赶紧把金三找来。金三说:"您一出去,这不是诈尸了?咱的戏可就没法往下演了。师傅您先压压火,一切都等着出完大殡再说。您不也正好能看看这些人都是嘛变的吗?"

金三最后这句话管用,眼瞧着刘道元的火下去了。自此,马四不再对师傅学舌前边的事。刘道元忍不住时,向他打听平时那些熟人，哪个来哪个没来。马四明白，师傅心里问的是另一个文混混儿，大名叫一枝花。那家伙整天往他们这儿跑，跟刘道元称兄道弟，两人好得穿一条裤子，可是打刘道元一"死"，他也跟死了一样，一面不露。马四哪敢把这情形对师傅说。马四愈不说，他心里愈明白。脸就愈拉愈长，好赛下巴上挂个秤砣。后来干脆眼一闭，不闻不问了，看上去真跟死人差不多。

这天下晌，院里忽有响动，不像是金三马四。侧耳朵再听，原来是邻居那个卖开水的乔二龙，还有他儿子狗子，翻过墙头，来到他的后院。隔窗只听狗子说："爹，金三马四一来，咱再翻墙跑可就来不及了。"乔二龙说："怕嘛？脓包！金三马四连苍蝇都打不死，你还怕他们。这刘家无后，东西没主，咱不拿别人也拿！跟我来——"

刘道元肺快气炸了，心想，我"活"着的时候给你们钱，你们拿我当爷爷；我"死"了就来抄我的家！你们还要干嘛？扒我的皮做拨浪鼓吗？

他想砸开门出去，但不行，不能为这两个狗操的把事坏了。心里一急，不知哪来的主意，竟装出一个女人腔，拿着嗓子细声尖叫："快来人呀！有坏人呀！"这一喊，竟把乔家父子吓得赛两个瞎驴, 连跑带蹿, 噼里啪啦翻墙跑了。幸好, 前边念经的和尚们鼓乐正欢, 没听到他这边的叫声。可马四再来时, 却见他一桌子吃的东西, 全扔在地上了。

过了一七, 总算没出太大差错, 万事大吉。金三把供桌上的判官笔放进棺材, 对人说这支判官笔必须给师傅陪葬; 还说, 这支笔是支金笔, 华世奎那支笔只是支草笔, 这支金笔只配他师傅一个人使。然后, 他悄悄去请师傅, 乘人不注意, 赶紧入棺, 起灵出殡。刘道元骂一句: "真他妈不知是活够了, 还是死够了。" 便一头钻进了棺材。

棺材里, 金三给他一切准备得舒舒服服。盖是活的, 想开就开; 里边照旧有吃有喝, 还有个枕头可以睡觉。他哪有空儿睡觉, 好不容易"死"一次, 也得"死"得再明白些。

棺材抬起, 往灵车上摆放的时候, 就听到金三和马四一左一右哭起来。金三灵, 说哭就哭, 声音就赛撕肝扯肺一般。刘道元想, 还是金三好, 马四这王八蛋连假哭也不会。可是金三的假哭却长不了, 闹一会儿就没声了。这才听出马四这边也有哭声。马四来得慢, 声音不大, 可动了真格的, 呜呜哭了一路, 好赛死了亲爹。这没完没了的哭，反而扰得刘道元心烦，愈听愈丧气。刘道元已经弄不明白，到底是真的好还是假的好了。

走着走着，刘道元忽听，外边乱糟糟，声音挺大，好赛出了嘛事。跟着灵车也停住了。他心里奇怪，两手托住棺材盖，使劲举开一条缝，朝外一瞧，只见纸人纸马，纸车纸轿，黑白无常，银幡雪柳，白花花一片。街两旁却黑压压，站满瞧出殡的人。到底嘛事叫出殡的队伍停住了？他透过旗杆再一瞧，竟看见一些人伸拳伸腿挡在前面，原来是会友脚行的滕黑子那帮武混混儿。他心想这帮人平日跟他一向讲礼讲面，怎么也翻脸了，想干嘛？这时他突然瞧见，他那弟兄一枝花也站在那帮人中间。只听一枝花在叫喊着："那支判官笔本来就该归我，他算个屁！死了还想把笔带走？没门！不交给我，甭想过去！"

刘道元的脑袋"轰"的一下——但这次没急，反倒豁朗了。心里说："原来人死了是这么回事，老子全明白了！"双手发力一推棺材盖，咣啷一响，他站了起来。

这一下，不但把出殡的和看热闹的全吓得叽哇喊叫，连劫道的那帮混混儿也四散而逃。

刘道元站在灵车上大笑不绝。

题外话

日本的新锐作家南条竹则极通吾国文学。他读过我刊在《收获》上的几篇《市井人物》，便问我所写的这类小说是否受冯梦龙的影响。我说：然也。我与他皆姓冯，我们这是"家传"。他笑了，接着问我受冯梦龙哪些影响。

我说：三个方面——

一是传奇。古小说无奇不传，无奇也无法传。传奇主要靠一个绝妙的故事。把故事写绝了是古人的第一能耐。故而我始终盯住故事。

二是杂学。杂学是生活，也是知识。杂学必须宽广与地道，而且现用现学不成。照古人看来，没有杂学的小说，只有骨头没有肉。故而我心里没根的事情决不写。

三是语言。中国的文学史，散文在前，小说在后。小说的语言受散文影响。中国人十分讲究文字的功力，尤重单个的方块字的运用，绝不是一写一大片。故而我修改的遍数很多。

南条竹则说："你所有小说都这样写吗？"

我说："只这类小说才这样写。这是文本的需要。"

此后，我主动告诉他，鄙人写完《神鞭》与《三寸金莲》等书后，肚子里还有一大堆人物没处放，弃之实在可惜。后来忽有念头，何不一个个人物写出来？各自成篇，互不相关；读起来又正好是天津本土的"集体性格"。于是就此做了。

初写数篇，曾冠名《市井人物》。这次又续写十余篇，改名《俗世奇人》。话说明白，为了怕把读者搞乱。

再有，写完了这一组小说，便对此类文本的小说拱手告别。狡兔三窟，一窟必死；倘若再写，算我无能。

话到此处，已然兴尽。再无言之欲也。

龙年初月于津门俯仰堂

《醒俗画报》（插图解释）

　　清代末期，上海和天津等一些大城市，一方面随着城市化的进程加快，一方面缘自西方印刷术的传入，现代媒体油然而生。与文字媒体一先一后进入社会的是大众化的石印画报。

　　上海最出名的是《点石斋画报》，天津百姓喜闻乐见的是《醒俗画报》。说起"醒俗"，就要提到当时的社会。由于政治的软弱，世风萎靡，外侮日切，一些有责任感的文化人便站出来，或兴办教育，或立坛宣讲，或创办报刊，主张铲除社会陋习与种种痼疾，开启民智，振兴中华。在这样的背景下，就不难看出《醒俗画报》中"醒俗"二字的立意了，那便是要把民众从习惯而不自觉的种种陋习中唤醒，承担起共同兴国的重任。

　　《醒俗画报》和上海的《点石斋画报》，都创办于光绪年间，也同样使用单面有光的粉画纸和当时先进的石印技术，方形开本，每本十张折叠页，每页两面印刷，凡二十图，十天一期。刊物一开始就有鲜明特色。它面向大众，内容全是图画新闻，大至时政要事，小到市井信息；识字者看字，不识字者看图，很像大本的"小人书"，物美而价廉，一时颇受欢迎。故而很快就改为五天一期，一月六期。

　　《醒俗画报》的主办者是几位新学的倡办者。社址设在西北城角自来水公司旁一座小楼内，后迁到城内广东会馆附近的平房里，条件简陋，但主笔却是津门一位知名的文化人陆辛农先生。

　　陆先生个子不高，为人爽利，能书擅画，喜欢植物学和制作标本，精于小写意花卉。记得我年轻时在国画研究会工作，见过他几次。他年事虽高，却说话朗朗有声，十分健谈，喜欢开怀大笑。他对津门掌故知之颇多，常在报端发表文章，笔名"老辛"。文章中怀古论今，总是包含许多珍贵的史料细节，观点也很开放，他属于那个时代的开明人士。因而他主编的《醒俗画报》，自然是内容鲜活，视野开阔了。

　　《醒俗画报》还邀请一位名叫陈懿（字恭甫）的画家作图。陈先生是一位市井名家，善画时装人物。这在当时充斥古装仕女和山水花鸟的画坛上是很难得的。陈恭甫的画很写实。他虽然不像上海吴友如那样精工细致，却密切配合新闻，画得很快，半工半写，但极有生活气息。在今天看来，画中许多场面，都是今日再难见到的历史生活的图景。

　　《醒俗画报》具有很强的批评性，这是上海的《点石斋画报》所不具备的。它始自创刊，每期封面都是一幅"讽画"。用辛辣而幽默的笔法，鞭挞丑恶，抨击时弊，特别是直接针砭官场的种种腐败，在当时是颇需要勇气和胆量的。这些直接介入生活与现实的办刊方针，贴近了百姓的所思所想，自然受到世人的欢迎。尤其当时"漫画"一词尚未流行，讽画应是最具时代精神的新型画种。

　　也正为此，《醒俗画报》经历了一次很大的挫折。

　　1906年初夏，庆亲王之子载振赴黑龙江视察而途经津门，天津南段警察局长段芝贵为了谋求黑龙江巡抚职务，用巨金买伶人杨翠喜向载振行贿。这桩"美人贿赂案"

惊爆于世后，津门画家张瘦虎画了一幅讽画名为《升官图》——这应是中国漫画史第一幅反腐败的漫画了。他投稿给《醒俗画报》，揭露这一丑闻。刊物的主办人吴子洲胆小怕事，阻挠这一图画新闻的发表，因之主笔陆辛农与另一刊物主办人温子英愤然而去。一时此事也成了新闻。

后来，解体后的《醒俗画报》改名为《醒华画报》。馆址迁至当时的奥租界大马路（今建国道）。办刊的方针并没有改变，一直坚持着《醒俗画报》创刊以来锐意批评的思想倾向。尤其是在图画新闻上的自由评点，犀利而尖刻，为全国任何同类刊物所不及。此外，还增加了绘图小说、科技常识、趣味猜谜等内容，更符合大众生活的需求。至于封面图案，一直采用讽画，风格一如既往。《醒华画报》的寿命不短，从清末跨时代地一直办到民国初年（1913年）。

陆辛农与温子英离去后，在日租界旭街德庆里内另办一份《人镜画报》，开本比《醒华画报》略略横长一点，只是文字采用了新式的铅字印刷。办刊主张和《醒俗画报》没有两样，也是用讽画来做封面，只是增加了文字版面，更适合识字的人阅读。相对平民性也就差一些。

这样，一时天津就有了两份画刊——《醒华画报》与

《人镜画报》。

　　在中国封建时代的最后几年，天津出现的这些画报，显示了这个城市文化人对国家命运的关切，以及自愿担当的唤醒民众的责任，而且敢写敢画，富于勇气。今日读了，仍心生敬佩。

　　由于《醒俗画报》和《醒华画报》的一些图画具有很强的真切性与生活气息，这里便选择其中若干作为本书的插图。图中内容与小说的故事并不相干，但文耶图耶却都属于同一时代。这样做的目的，乃是想有助读者进入、感受与认知那个时代是也。

2008年6月

醒華